レジェンドノベルス
LEGEND NOVELS

逆転オセロニア

蒼竜騎士と赤竜騎士の軌跡

contents

レジェンドノベルス
LEGEND NOVELS

蒼竜騎士と赤竜騎士の軌跡

逆転オセロニア

一章　蒼竜と少女

【1】神族の赤子

　ある夜、騒がしい声がしたので声の主を探しに行くと、竜族ではない赤子が独りで泣いていた。賢蒼竜イリオスは、この人里離れた岩山に住み着いて四千年ほど経ったが、このような経験は初めてである。周囲に他の生命の気配もなく、ただむなしく朽ち果てるのを待つことしかできないことを悟り泣いているのだろうか。

　イリオスはこの赤子を自らの娘として迎え入れ、自分の子供たちと同様に育てることにした。

　大半の竜族が使うブレスなど、竜は種族によって数々の異能を有する。イリオスは戦いを好まないため戦闘経験がなく、使う機会がなかった自身の異能、装備作成・錬成術が衣服のために使えたので、奮発して様々な物を作った。だが赤子に使えるものはまだ衣服代わりの鎧しかなく、邪魔に思われないよう体にちょうど合わせた軽量のものを着せるのみとなった。

　そして五年ほど経ち、この娘――レクシアはこれといった問題もなく健やかに育ち、イリオスや子供たちとも会話ができるようになった。

「でもお父さん、どうして竜じゃないわたしを助けてくれたの？」

隣のレクシアがイリオスを見上げてくる。イリオスは作業を止め、座って体を揺らしている娘の頭の高さまで頭を下げた。

「種族の違いに意味はない……そして、命の価値もまた然りだ」

レクシアは首を傾げて困惑している。

「少し、難しい言い回しであったな。ほれ、望みのものができたぞ」

「わぁ！　ありがとうお父さん！　えへへ、どうかな？」

「よく似合っている。以前から思っていたが、お主は儂が教えずとも、自分を着飾る術を知っているようだな」

イリオスが今回娘に贈ったのは髪飾りだ。竜族と同じような角が欲しいというので、黒の角と同じものが生えている胸の突起を少し削って、加工して角のようにした。装備作成の異能では作れない貴重なものだ。喜んでもらえたのなら、文字通り身を削った甲斐があったというものだ。

以前も長い髪の一部を結わえたいと言うので、異能で髪を通す鉄の環っかを作ってやったが、髪を短くしたりまとめたりせず、全体の形を大きく変えて、ただ両耳の後ろのごく一部を結わえていたので驚いたものだ。実用性以外で、見た目や雰囲気を少し変えるだけのために装備を作るなど考えたこともなかったため、こちらも学ぶことは多かった。

「他のみんなにも見せてこようかなー！　あ、そうだお父さん、その羽も少しもらっていい？」

「ああ構わぬぞ。次はどこに使うつもりなのか興味が湧いてくる」

「ありがとう！　髪を結んでるこの環っかにね……はい！」

「おぉ……！」

環を飾る発想もそうだが、突然強まったように感じたレクシアの力に驚いた。元気になったと言って跳ねる娘も、感覚の違いには気付いているのだろう。

「レクシア、試したいことがある。この杖を握り、力を籠めるのだ」

「うん、わかった。やってみる」

赤子のレクシアを拾ってすぐに作り、使う予定もなく放置していた長い杖だ。先端に魔力を持つ石があり、魔法などを手軽に使えるようになる。

しばらくすると杖の石が光り始めた。そしてイリオスらの目の前に、光が集まると小さな爆発を起こした。レクシアは驚いて尻もちをつき、杖を両手で握ったままイリオスを見た。

人間が開発した魔術とは違うもので、これはイリオスら賢蒼竜の異能に近い魔法だろう。イリオスはついに娘の種族を確信した。

「どういうことなの？　お父さん？」

「レクシア、お主はどうやら、神々の子……神族のようだ」

【2】守護神の信仰

私がここで育って、およそ十年ほど経った。あれからイリオスに基礎的な魔法は教わったが、それ以降はあまり魔法の練習はしていない。戦いたいわけじゃないし、生活を便利にする魔法は基礎的な部分だけで十分だからだ。

細い足の二足歩行種族である私は、太い足だが四足歩行種族のイリオスの子竜たちの身長をようやく超えることができた。幼年期の身体(からだ)の成長速度は私の方が速く、竜族は姿がなかなか変わらないので、年上として面倒を見てくれた子竜は今となっては同い年のようだ。

なのでイリオスにある許可をもらうことにした。

「お父さん。子竜たちよりも背が高くなったよ。だからもう、山を下りてみてもいいかな」

「そうだな、確かにそういう約束であった。儂が遠くからでも見ておるから、気を付けて行ってくると良(い)い」

「ありがとうお父さん。でも前にも言ったように、少し麓の様子が知りたいだけなの。満足したらすぐに帰ってくるね」

置いてあった自分の杖を取り、山の麓を目指して岩を下りて行った。イリオスが多少の身長を要求したのは、この岩山が険しく、飛ばないで下りる場合、ある程度手足が長くないと危険だったためだろう。軽装の鎧は、こういうときに邪魔にならないうえに、しっかり身を守ってくれる。

岩に囲まれた場所から抜け出し、外の世界が見えてきた。この岩山の先には、普段見ていた景色に比べて、ずっと多くの緑が広がっていた。さらに遠方に、この距離からでも見えてしまうくらい高く大きな塔がある。きっとあれがイリオスが生まれる前から建っていたといわれる古代建造物、白の塔だろう。

「これが、オセロニア世界の、白の大地……」

白と黒、二つの異なる地に分かれた世界、オセロニア。太陽と月が存在し、草木が生い茂る白の大地。草木が育ちにくく不毛で、昼夜の区別がほとんどない黒の大地。様々な種族や国が存在し、竜族などは、その両方の大地で環境に合わせて生息しているそうだ。

「おっとと。危ない、ここは岩山だから安全を意識して……」

遠くを見るためについ背伸びをしてしまい、ふらつく。この景色が見たかったのが目的の半分。もう半分は、麓の方に住んでいるという人間の村を訪れてみたかった。私は人間ではなく神々の種族のようなので、赤子の私を山に置いたのはそこの人間であるという私の予想は外れたけど、それはそれでわだかまりなく交流できると思った。

岩を乗り越え、森に入る。この木々を進むと森の中に小さな村があるのは山の上から確認したのでわかっているが、大きな木がそこらじゅうに生えている景色は私には珍しく、ふらふらと観察をしながら歩いた。

「どこも同じ景色……でも大丈夫、まだ大丈夫」

そんなことをしていたら道に迷ってしまったが、焦らずに音を頼りに進む。どんなときもなるべく冷静に行動すること。イリオスの教えのひとつだ。

耳を澄ますと、音だけでなく人間の放つ気配、圧のようなものも感じた。私が魔法を使うときも、同じような感覚を自分や魔法を使う対象に感じていたから、これは神や天使が持つ感覚なのだろうか。それとも他種族でも、同じように感じるだろうか。ともかく、圧のおかげで助かった。

だが、十数人の人々を見て、私は思わず見つからないように木の後ろに隠れてしまった。竜としか話してこなかったし、まず人間を見るのも初めてなので人数に圧倒されて近づけなかった。

あれは何だろう。集団の半数ほどが座りながら手を合わせて何かをぶつぶつと呟いている。他は背が低い、子供だ。子供たちは大人を横目に見ながら、各自自由に動いていた。子供の一人がこっちに近づいてくる。

「ねえ、お姉ちゃん」

「ひゃあ！　な、なに……？」

気付かれていたとは思わず、驚きで転びそうになる。

「そんなに驚くことないでしょ！　僕、お姉ちゃん見てたよね！」

笑われた。その声につられるように他の子供も集まってきた。私は立ち上がって子供を普段と同じ表情で見下ろす。両手で杖を強く握っていた。無意識だった。ちょっと怖かったのかもしれない。

「私を見ていたんじゃなくて、偶然ただ近くに来ただけなのかなぁって……」

「そんな青だったり白だったりの派手なの着てるのに、見えないわけないって！」

「あ、そうだ……」

確かに、ここの茶色っぽい布の服を着ている人々の中に、この鎧は森だとすごく目立つ。さらに黒い角と白い羽などの髪飾りと、日光に照らされ黄色に見える鮮やかな茶髪を腰まで伸ばし、顔を、覗くために出したらそれだけでバレバレだ。

「でもあなたたち以外にはまだ気付かれてないよね。あの大人たちは、何をやっているの？」

「んー、なんか、祈り？　だっけ」

男の子の返答を隣の女の子が補足する。

「この森や山、村の守護神様に定期的にお祈りしてるんだって。今後も守ってもらえるようにお願いしてるの」

エリアと呼ばれる、無数の国々で形成された地域があり、その統治者は神々であることがほとんどだと聞いたことがある。ならあの行動も、信仰から行っているものなのだろう。ただここの統治者の話は聞いたことがない。

「守護神？　ここを管理してる神族がいるの？」

「いや、ここの守護神様は神じゃなくて竜族らしくてさ。僕たちもよくわかってないから、これは大人に聞いた方がいいかもね」

「こっちこっち、おいでよお姉ちゃん！」

「えっ、ちょっと、待ってっ」

女の子に手を引っ張られ、村の中に入れられてしまった。まだ心の準備ができてないのに……と思ったけど、会話をしてくれた二人以外の子供も不安そうな顔をしている。私と同じで、祈る人々を怖がっているのかな。お姉ちゃんなんて言われちゃったし、ここで引いたら格好がつかないので覚悟を決める。

「おばあちゃん、わたしたちやこの人に守護神様のことを教えて！」

女の子が駆け寄りながらそう言うと、一人の老婆が祈りの手を止め、こちらを向いて目を薄く開いた。何年生きるとこうなるのだろうか。神族と竜族も成長速度が違ったので、人間もきっと違うはずだ。きっと私より年上だが、人間の身長も判断材料にはならないことを、この婆様の身長の低さを見て感じた。

「ああ、ええともさ。じゃが、そこの方、ここらじゃ見ない鎧を着とるねぇ。どこから来たので？」

「あっ、私ですか。えっと、私はあの岩山の方から来ました」

答えると、婆様はカッと目を見開き、おもむろに指で私を指した。

「なんと、守護神様の住処に！　それは無礼なことだわさ。寛大な守護神様だから助かったということなんじゃろうけど、用もなくその奥の聖域に足を踏み入れようものなら、守護神様のお怒りを買ってしまうゆえ、気を付けるんじゃよ……」

圧に押されて繰り返し頷いたが、疑問が生まれた。守護神様の住処？　あの山は人里からはかなり遠く上に高いし、動物が住める環境じゃないから、イリオスたち以外には誰も……まさか。

「ひょっとして……守護神様って賢蒼竜イリオスのことだったりしますか？」

「ほう、ご存じだったのですねぇ。いかにもここの守護神様は賢蒼竜イリオス様じゃ」

「ねえ、なんでその竜が守護神なの？」

驚いている私の足元に集まっている子供の一人が、私の足に摑まりながら婆様に質問をする。離してほしいが、振り払ったら転んでしまいそうなほど小さい子なので我慢だ。幼少の私に足を摑まれたイリオスも、同じような苦労をしたのかもしれない。

婆様は切り株に腰掛け、再び目を閉じてから口を開いた。

「はるか昔、この白の大地や黒の大地には神々と竜族しか住んでいなかったといわれておる。じゃがあるときを境に白の大地には天使が、黒の大地には悪魔や魔族が栄え、長い歴史の中で人間やその他様々な種族が暮らす世界になったのじゃ。なので人間や獣人、竜人などは、神々や魔族などの血が歴史の中で薄まってできた種族なんじゃよ」

私の姿や、使う言語が人間と同じなのはそういうことだったんだ。でもこの人間たちに天使の翼や竜の角の両方がついてるなんてことはなくて、これといった特徴のない姿だ。血が薄れた結果劣化した種族なのだろうか？　なんて、失礼ながら思ってしまった。

話が逸れたかの、と婆様が話を続ける。

「そして天使や人間はこの大地で文明を築き、生息域を広げていった。それまでそこにいた竜族や、しばらくして発生した妖精族は、人間との共存か、住処の移動の選択を迫られたわけじゃな」

「可哀想……」

足元の子供が呟く。私は何も言えなかった。種族が繁栄する以上仕方ない問題だとも思ったし、しかもこの時代で何かを思ってももう昔の話なのだ。私たちにできることなど何もなかった。

「じゃが、それに抗う竜族も少なくはなかった。特に黒の大地の竜族の中には防衛戦を続けるあまり、戦い自体が生きる目的となった者もいたという。そして、賢蒼竜イリオスもまた、抗い戦った竜の仲間じゃ」

婆様は山の方を見上げ、手を合わせた。

「イリオス様は自身だけでなくこのエリア全体を守るために周辺の天軍を攻め、今の暮らしを守ってくれたのじゃ」

「あなたたち村人はどうしてここに？」

「我らは天軍の統治から逃げてきたのじゃよ。全てがそうではないが、天使が属する天軍の政治をよく思わない者もおるでな。その天軍の治める国を、イリオス様はここまで広げないようにしてくれたのじゃ。その強大な聖撃で……！」

婆様からまた祈りの時のような力の圧を感じた。少し怖いが、放置することのできない疑問が生まれたので圧に負けないように口を開く。

「ちょっと待ってください。イリオスは戦いを好まず、極力争いを避けてきたと言っていました。どこでその出来事を知ったんですか」

話の中断により、婆様は目線をこちらに戻した。その目と向かい合うとつい視線を逸らしたくなるけど、ここで逃げることはできない。もし話が真実なら受け止めたいし、どこかに間違いがあるなら否定したい。

「先祖からの言い伝えじゃよ。あんた……イリオス様と会話をしたことがあるような口ぶりじゃないか」

「あなたこそ、その口ぶりだと実際に見たわけでもない話をしていたんですか。ご先祖様の話は、どこまでが真実なんでしょう？」

婆様は私の身体や装備を隅々まで眺め、目を大きく開いた。会話の空気の変化を怖がった子供が少し距離をとった。

「よく見ればその頭の角や羽、蒼や白の鎧……言い伝えにあるイリオス様のものにそっくりじゃ。あんたは一体、何者なんじゃ？」

「捨てられていた神族の私を拾って育ててくれたのがイリオス。私は、そのイリオスの娘です」

「ハァッ⁉　守護神様の娘……！　守護神様の遣い……！　へ、へェェェェ……！」

婆様が突然跪いて頭を地につけた。祈りの時のように何かぶつぶつと呟いている。

怖くて見ていられない。周りを見ると、婆様に合わせて跪く子、私を見てどうしたらいいかわからず立ち尽くす子がいた。私を最初に見つけた男の子が、少しずつ私に近づいてきた。

「なんかごめんな、お姉ちゃん。この村のみんな、こんな感じなんだよ」

「ううん、ありがとう。私に気付いて話しかけてくれて」

冷静さを装ってお礼を言ったけど、声は震えていた。この会話を別れの言葉として、じりじりと後ずさりし、村の人々に背を向けて走った。最初に感じた圧はここの人間たちの畏怖だったんだ。

森を抜けて岩山へ。下山にかなり時間をかけていたので、もう空は暗くなってきていた。遠くにイリオスの姿が見えた。

「お父さん！」

呼びかけると、巨体に見合わない速度で降りてきた。

「想定の範囲内だが、少し遅かったな。さあ、儂の背に乗るのだ」

背に乗るとすぐにイリオスは飛昇した。蒼い鱗（うろこ）や白い翼が月明かりに照らされ、村人たちはその美しい姿を見て言葉を失っている。この姿を今後も思い出し、実体験をもとにした信仰が始まってくれないかと、私は少し期待した。

「お父さん」

「どうした娘よ」

イリオスは飛びながらこちらに意識を向けてくる。今回の話で聞きたいことがたくさんできた。

「お父さんはここを守るために、天軍と戦ったの？」

「いや、儂は戦わずに下がった。住処を狭められて、狭められて、最後に本拠であるこの山の地域だけが残ったとき、これ以上は下がらんと言って少しだけ牽制（けんせい）したに過ぎんよ」

「天軍に恨みはなかったの？」

「儂らはここだけで十分だ。他の種族も、自分たちの発展のためにやむを得ずしていることだ。儂に共存するつもりがない以上、せめて領土くらいは与えてやらねばな」

「そう……じゃあ最後の質問なんだけど、あの村の人たちのこと、どう思ってる？」

「気付いたらいた連中だ。聖域に近づこうとはせず、害がない。さらにレクシアの鎧の形、食べ物などを遠くから眺めて参考にさせてもらった。その恩は、儂がこの地を守ることで返していこうと思っておるぞ」

村の婆様の話を疑ってしまったが、攻撃したことを除けば、それほど間違ってはいなかった。イリオスは言い伝えよりもさらに寛大な心を持った、立派な守護神だった。

【3】復活の邪竜

数年後、ある雪の降る寒い夜。私は今日も子竜たちが被(かぶ)った雪を取り除いていた。ほとんどは子竜の身震いで飛んでゆくけど、それでも残る雪を私は見逃さない。

「あと少し……よし、できた。はい、次の子！　こらこら、暴れないのっ」

今の年齢の子竜たちは頭以外のほとんどがまだ毛で覆われている。羽もまだ柔らかくて飛べそうにない。

「どうだレクシア、雪払いは終わりそうか？」

イリオスが私のもとまで歩いてきた。表情の変化がわかりにくい顔、でもどこか今日はいつになく真剣な顔をしているように思える。

「うん、この子で最後。最近これも慣れてきちゃって、寝る時間まではまだ少し時間があるね」

「ああ、そうだな。いつの間にか、こんなにも立派になってしまったのだな」

「お父さん？」

最後の子竜の雪を取り除き、イリオスを見上げる。

「儂は、最近気付いたのだ。命を救うために助けた娘が、今や儂がいなくとも生活できるようになってきたことに」

イリオスは表情を変えずに座り、話を続けた。

「子竜たちより早く目覚め、儂とともに朝食を用意したかと思えば、その後の後片付けなども自分から行い、完遂してみせる。さらに汚物の処理、雪などの環境への適応、さらなる利便性のためにと練習を再開した魔法も見事なものだった。一部の日常生活はもう一人で行える。ゆえに、儂は思ったのだ」

その先は聞きたくない。そう思った。けどそれを口には出せなかった。イリオスの声音からは、相当な覚悟が感じられたから。

「今こそ自立の時ではないかと。この日々を山で過ごす我らとの生活の他に、やれること、やりたいこと、やるべきことがあるのではないかと」

私が口を開かないことを確認したイリオスは、立ち上がって子竜たちの待つ寝床の方に体を向け、もう一度私を一瞥(いちべつ)した。

「自分の幸せを見つけよ」

「お父さん！」

歩きだしそうな、離れていきそうなイリオスを見て、私はようやく声を絞り出した。イリオスはこちらを向かず、動きだけ止めて言う。

「自分の人生だ。選択はお主に全て任せる。この生活を続けると決めたなら尊重するが、お主には他の道がいくらでもあることだけ、心に留(とど)めておいてくれ。さあ、そろそろ眠る時間だ。今日もよく冷える。儂のもとに来るがよい」

そしてイリオスは再び歩き始めた。私はその場に呆然(ぼうぜん)と立ち尽くした。

雪の降る日はイリオスが体を丸めて、翼で雪を防ぎ、私を含めた全員を包み込む。私は子竜たちに囲まれて寝ることになり、冬でもむしろ暑くて汗をかきそうなくらいだ。子竜の雪を払うのは勿論子竜を冷やさないためだけど、溶けた雪の水が、私の装備の露出部分にかかると冷たいからというのも大きい。

遅れてイリオスの翼の中に入る。もうみんなぐっすり眠っていた。

自分の幸せ？　この竜たちと一緒に過ごすことだけで十分幸せを感じているし、他にやりたいことがすぐ浮かぶわけでもない。

答えはすぐには出なかった。瞼が重くなる。子竜たちの温もりは、私に長時間の思考を許してはくれなかった。

あまり眠れず、珍しくイリオスより早く起きてしまったので、イリオスがいつもやっている聖域の見回りをすることにした。

雪は止んでいるが地面に積もっており、竜はともかく私には歩きにくかった。魔法で弱い風を起こして雪を一ヵ所に集める。種族や個々人によって得意な魔法は異なるが、小規模な初級魔法なら火でも風でも練習すれば使えるようになる。私がなんの魔法を得意とするのかはわからない。けど、イリオスの羽や杖を持っていると強力な光系統の魔法が使えることから、イリオスと似たような力であるとは思う。

杖を向けた雪の下から草の緑が見えてくるのが楽しくて、そのまま聖域全体を歩いていく。だが途中、雪がなく、地面が黒い場所を見つけた。

「なに、これ……焦げてる？　それに臭い……」

円形に広がる黒い地面。これが歩いていくといくつも見つかった。昨日はこんなものなかった。もし見えていなかったとしても、この特徴的な悪臭で気付くはず……。

「自然にできたものじゃないと思うけど、誰かがやろうにもここは聖域。私やイリオスたち以外がここに来るなら、空くらいしか道は……」

見上げるとそこには、大きな赤い飛竜が一体、こちらを見下ろしていた。私が思わず杖を構えると、それに気付いた飛竜が聖域の地に降り立った。後ろ足だけで立つ二足歩行型で、身長はイリオスの半分くらい――とはいえ私の二倍近くはあるが――首には人間の頭蓋のような飾りをかけていて不気味だ。

「この聖域にこの焼け跡を付けたのはあなたね？」

「ああそうだ。俺様はグレイル。その外見や放つ力、神族の娘のようだが、何故ここに入ってこられた？」

イリオスたちと会話ができるのでこの飛竜にも試してみたが、成功した。やはりこの世界の大半の生き物は同じ言語で話せるのだろう。名乗りまでしてくれたので私もそれにならう。

「私はレクシア。あなたこそ、私がここに来てから初めての侵入者よ。用もなくここに来るだけでなく、ましてやこの地に傷をつけたらイリオスでも黙って見過ごさない。今すぐ帰ってくれるなら、私はこの件をなかったことにしてあげるけど」

「へっ、用ならあるぜ。イリオスにとあることで礼をしなきゃならん。この炎は、その挨拶代わりだァ！」

グレイルが私に向かって火球を吐き出す。地面の焼け跡と同じ大きさ、私はここを焼かれないために回避ではなく防御を選択した。右手で杖を前方に構え、水の塊を撃ち出す。火と水はぶつかり合って消えた。

「お、反撃はしてこないのかい？」

グレイルが前足を手のように使って挑発してくる。しかし私は戦闘のための魔法を覚えていない。日常的な魔法の勢いを強めて応用したもので、身を守ることしかできない。

「ならまた俺様からいくぜ！　ハァ！」

「くっ！」

連続で放たれる火球を防ぐ。防御として不適当な魔法を無理して使ったため、私はすぐに魔力を使い切ってしまった。再び火球の熱がグレイルの口から発せられる。

「――お父さん――！」

「確かに聞き入れたぞ、娘よ」

私の後ろからイリオスが勢いよく飛び込んできて、その大きな足でグレイルの首あたりを叩く。グレイルは衝撃で後退し、火球は不発に終わった。遅れて風圧が私の背中を叩き、消耗していた私は耐えきれずに倒れた。イリオスが心配して見てくれたので、大丈夫と笑って返す。

「ぐおぉっと！　ようやくお目覚めか、イリオス！」

「二千年ぶりの再会か。わざわざここになんの用だ」

「ちょっとした報告に来たのさ。お前が倒し損ねた邪竜ヴァラーグが復活し、再び破壊の限りを尽くしているということをな！」

グレイルはニヤリと笑った。邪竜……？　初めて聞く名前だ、どういうことか聞こうとしたけど、雰囲気がそうはさせてくれない。

「倒し損ねたという表現をされるとはな。殺すまでしなくても良いと思って儂が逃がしたのだ。もうこのようなことはやめろと言ってな……」

イリオスが俯く。話を聞かず再び暴れているという事実を知って残念に思っているのだろうか。

「まあ、おかげで俺様は助かってるんだがね」

イリオスが無言で足の爪から蒼い光を発し、その光はやがて刃の形をとった。脅しのつもりか、戦うつもりか、または怒りを覚え、無意識に能力を発動したか。その真意は読めない。

「おっと怖い怖い。お前を相手にするほどの力もないし、元よりそのつもりもない。だからこれにて失礼するぜ。精々自分の寛大な心を悔やみながら足掻きな！　――あと、レクシアとかいうそこのお嬢ちゃん、そんな未熟だといつか死ぬぜ！　あばよ！」

グレイルが飛び、いつの間に空中に待機していた数体の仲間とともに彼方へ去っていく。

「待てっ、グレイル！」

私は咄嗟に追いかけようとして走ったが、飛べない以上無駄な行為だった。

「良いのだ、捨て置け」

声を聞いて足を止め、イリオスの方へ振り返る。視界には光の刃を消したイリオスと、その周りで黒い煙を出す焼け跡が残っていた。

見た目だけでなく臭いも気になるので、雪を被せて焼け跡を覆う。傍で同じように焼け跡の処理をしているイリオスに、タイミングを計って会話を投げかけた。

「お父さん、二千年前に何があったの？　邪竜ってなに？　私、お父さんの口から聞いたこともないよ」

「話す機会はあったのだが、まだ小さかったレクシアを怖がらせると思ってな。そのまま話さずにここまで来てしまったのだ」

イリオスは作業を続けながら話し始めた。

「この聖域は大地の端にあり、ほとんどの飛竜は近づくこともなかった。だが黒の大地から渡ってきたグレイルだけは、二千年前にここを発見し、侵入。その火球ブレスで襲撃を行った。グレイルの火球が焼いた場所からは特有の悪臭が発せられ、その臭いに反応して現れるのが雷瘴竜ヴァラーグと呼ばれる邪竜だ」

「じゃあ、グレイルが全ての元凶なの？」

「そうとも言えるが、グレイルの火球がなくとも、ヴァラーグはどこかで好き勝手に暴れている。グレイルは火球で呼び寄せたヴァラーグが暴れ、破壊した場所に残った道具を拾ったり、そこを住処にして生活しているようだ。グレイルは生きるためにヴァラーグを利用しているだけで、自分から大規模な戦闘はしない。主な被害はあくまでもヴァラーグによるものだ」

つまりグレイルは、イリオスが作った様々な品を狙っているのだろうか？　人間や天使の国と違い、ここは竜だけが住む場なので住処としての環境も良いから、あり得る話だ。

「儂は現れたヴァラーグと戦い、もう暴れられないよう傷を負わせて逃がした。その後、焼け跡を処理し、二千年の平穏が続いた……グレイルには、ここを再び狙わないように言っておくべきであったな」

焼け跡を全て雪で覆うと、臭いはほとんど消えた。私とイリオスは、徐々に起き始める子竜たちを見やった。

「事前にこうやって対処できれば、ヴァラーグは来ないのかな」

「どうだろうな。そうであると信じるが、もしものときは儂は再び、皆を守るために戦おう。だから お主が心配することはないぞ、レクシア」

「う、うん……わかった……」

イリオスはそう言ってくれたけど、私の心は晴れなかった。

そして夜。雪は降っていなかったが、寒いことに変わりはなかったので子竜たちは今日もイリオスのもとに集まる。私はその様子を少し離れたところで眺めていた。

昨夜の私は、この子たちを守る対象として見ていたが、今日のグレイルの一件で思い知った。私にそんな力はない。この子たちを守れるのはイリオスしかいない。イリオス一人に戦わせて、私は何もできない。

立派に成長したと言われたが、まだまだだ。私はこの子竜たちを、イリオスを、家族を守れる力が、強さが欲しい。竜だけでなく、自分自身も、麓の村の人々も。そしてイリオスが私を拾い、守ってくれたように、私も守りたいと思った誰かを守れる強さが欲しい。

イリオスが子竜から視線を少し離し、横目で私を見た。昨夜の言葉が再び脳を巡る。私のやりたいこと、私の幸せ……

「やりたいこと、わかったよ。お父さん」

【4】旅立ち

「騎士、か。お主、戦いは苦手なのではなかったか？」

「大切なものを守るためなら、私だって、戦えるよ」

翌朝。私はイリオスに今後の道——騎士として皆を守れる強さを手に入れるために外の世界に出て戦うと決めたことを伝えると同時に、そのために必要な知識や技術を教えてほしいと頼んだ。

イリオスは快く引き受けてくれたが、戦闘魔法に関しては扱える技が違うため、魔法使いなら誰でも使える基礎的なものの学習となった。ある程度は以前にも教わっていたので、すぐに習得した。杖は打撃武器としても使えるので、振るい方も習得。

イリオスの教えは、技や力よりも、戦術や戦いの心構えなどの教育の方に力が入っていた。

「この世界に生きる数多の種族は、共通して挟みうちに弱い。それは我らとて例外ではなく、集団戦において最も注意しなければならないことだ。試しに我が子らに協力してもらい、その感覚を知ると良い。よし、行くのだ！」

子竜二体が私の正面と背後から同時に飛びついてきた。正面の竜を杖で受け止めたが、背後の竜が飛びつくと、私は突然力を失ったように倒れてしまった。重量で潰れて動けなくなったが、子竜はすぐ離れてくれた。よっこいしょっと立ち上がる。

「ま、まあ、当然だよね」

「背後は相手を確認し辛いゆえ、そう思うのも無理はない。では左右ならどうだろう。よし、行け！」

「それならなんとか、え、嘘、きゃあっ！」

両方を同時に手で受け止めたが、耐えきれずに倒れてしまった。私の筋力が少し弱くても、この程度なら耐えられると思っていた。

「この世界の戦闘の基本戦術のひとつで、大きく力を削られやすくなる状態になる。しかし、その対策のために人間も専用の対策をし始め、コロシアムで挟みを克服した試合を見せた。他の種族もそれにならったことで挟みうちは効果の薄い戦術となりつつある。人間の知識や技術、そしてそれを生み出す発想には本当に驚かされる」

「コロシアム？」

「トドメは刺さずに戦う実戦訓練を兼ねた遊戯が、白の大地に存在するコロシアムで行われておる。これが大人気だそうで、黒の大地からも様々な種族が挑戦しに来るという」

「人気の遊びが戦いなの？　物騒な世界……」

「ここで過ごしていると忘れそうになるが、このオセロニアは、絶え間なく争いが続く戦いの世界だ。儂のような平和主義者もたくさんいるが、この世界で生きるならば戦いを覚悟しなければならんぞ」

「……うん、わかった」

世界の事実をようやく知ってうろたえるが、ならば尚更（なおさら）、戦う強さは生きる上で必要不可欠であり、この道はやはり通るべき道なのだと思った。

イリオスの教えは以前から教訓としていくつか聞いていたが、この機会にと重要な教えをさらにたくさん受けた。覚えきれるか不安だったけど、ふと思い出すくらいで良いのだと、イリオスは言ってくれた。

「逆境の中でこそ、勝利の光は強く輝く」

「逆境の中でこそ……」

「これはとある神が昔、魔族の長の一人と戦っていた際に発した言葉で、今も白の大地の皆が知る有名なものだ。この言葉で戦士たちは奮起し、敗北に向かう局面をひっくり返して逆転勝利を収めたと聞く。白と黒の天地が逆転していることから、オセロニアは逆転の世界ともいわれているため、戦いにおいても逆転という考えは評価される傾向にあるようだ。この話から儂が教えたいのは

――」

「最後まで諦めずに挑むこと、かな？」

「然り。もう流れをわかってきたな」

二人で仲良く笑った。子竜たちもそれを見て笑顔を見せている。私はこの笑顔を守りたい。グレイルやヴァラーグに奪わせはしない。

「これで、戦いにおいて大事なことは全て教えたはずだ。レクシア、お主はいつ、ここを発つつもりなのだ？」

「グレイルたちの動きも気になるし、のんびりもしていられないから、今日中に出るつもり」

「ほう……」

イリオスは驚きと感心を混ぜたような声を出した。表情とかは大して変わっていない気がするけど、もうなんとなくわかってきた。

「ならば今日、お主に渡したいものがある」

イリオスは装備作成のために使っている場所に私を案内した。イリオスがそこから持ってきたのは、私の今着ている装備と似たデザインの鎧だった。ただ同じというわけではなく、所々の金属のパーツが大きくなったり、デザインが全体的にさらに派手になっている。

「わあ……すごい！」

「騎士として戦うというのでな。生活のために削った鎧としての要素を復活させたのだ」

「ありがとう。早速着替えるから後ろ向いてて！　……あ、そうだ。お父さんって私の身体のサイズが変わってきても、毎回ぴったりに作れていたけれど、どうやっていたの？」

「この異能はそういう力なのだ。念じた使用者の現在の大きさに合わせて作成される。儂も昔に戦ったときより大きくなっているから、新しく作らないと着けられないな」

「なるほど、そういうことなんだ」

反対を向きながらでもよく響く声。安心した。家族はいつも毛で覆われているところ以外鱗、つまり裸だったわけだけど、私はいつからか家族に裸を見られるのが恥ずかしくて、水浴びなどは一人でするようになっていた。なので定期的にサイズを調べられていたのなら恥ずかしさを感じていただろう。

「よし、いいよお父さん。少し重たくなったけど、動きに問題はなさそう」

「よく似合っているぞ。では最後に、これだ」

「羽？」

髪に付けている飾りの羽と同じ、賢蒼竜の力がこもった羽だ。頭の羽よりも蒼白(あおじろ)く輝いている。

「儂の羽の中でも特に力の強いものを、異能で道具として加工したものだ。もう杖を右手だけで持てるようになっただろう？　左手でそれを持ってみてくれ」

「こうかな……？　わっ、すごい、力が湧いてくる！」

光るイリオスの羽は手に持とうとすると手元で止まり、そのまま左手の傍で浮いた。同時にたくさんの、半透明の羽の幻影が私の周囲を舞い始めた。

あなたは最初からこんな力が使える人なんだよと、私に教えてくれるように、直接脳に新しい知識が生まれたような不思議な感覚。その羽と杖に力を籠めるように念じ、感じた力をそのまま放つ。するとピンク色の美しい花びらがあたり一面に降り注いだ。

「綺麗……！」

「ふむ……事象顕現というものだろうか。神々や高位の天使が持つ、魔法とはまた違った異能らしい。さしずめセレスティアルレインといったところか。この花や羽で魔法自体も強化されているだろうから、戦いの中で研究してみると良い」

「うん、色々とありがとう、お父さん！」

まだ使えそうな新たな魔力を感じる。今後の可能性に満ち溢れている。最初こそ少し不安もあったけど、今はこれからの旅が楽しみに感じる。が、しかし――

「じゃあ行くね。もし私が強くなってここに戻る前にヴァラーグが来て、お父さんだけで戦わせることになっちゃったらごめんね。来ないとは信じたいけど」

「案ずるな。むしろゆっくりで良いからこの世界についてよく学び、竜族以外とも同じように会話ができるようになってくるのだぞ」

「げ、竜族以外……」

最後に忘れていた自分の課題を突き付けられてしまった。そういえばそうだ、むしろ竜族以外の方が今後関わる機会は多いのだろうから、しっかり克服しなければならない問題だった。また不安になってくるが、出発の足は止めない。

岩の壁の穴から聖域を抜けると、雪が積もったままの岩がずっと広がっていた。真っ直ぐ下りれば麓の森や村に着くが、私は反対方向へ進んでみることにした。一度も行ったことのない所へ行きたいという気持ちが半分、あの村を訪れるのは人見知りの改善が進んでからにしたい気持ちが半分だ。

転ばないように足元を見て下りていき、聖域が遠くなってようやく気付いた。いや、思い出した。

——この聖域は、大地の端にある——

足場の安全を確かめてから少し前方を見る。山の岩が、ある場所から不自然になくなっている。他の足場もない。崖だ。崖の向こうを見ても何もなく、天の空と同じ風景が広がっている。

「これは行き止まりだ。引き返そうっ、っと、っととと⁉」

急に反対方向を向こうとしたため、回した足が岩の雪で滑ってしまい、そのまま私は山の傾斜をずるずると滑り落ちていく。その先には、何もない。慌てて手を伸ばして岩を掴むが、滑る勢いと雪で手が岩から離れてゆく。手を伸ばす、滑る。掴む、滑る。

「待って。止まって、やめて、いやっ、いやぁあぁーーっ⁉」

視界正面の岩が一瞬で見えなくなり、代わりに白い地面が視界いっぱいに広がった。すがるように杖を抱えて、落下しながら落ちていく先を見る。上の青く明るい空と真逆の、赤く暗い奈落を初めて知った。

まさか世界の怖さを知ると同時に全てが終わるとは思わなかった。が、ここまでくると逆に冷静になった。空中で余裕ができたので、かすかな希望を求めて、防御魔法や回復魔法などをできる限り複数発動してみる。この先には何があるんだろう。死すら訪れず、この空を落ち続けるのとかだけは勘弁してほしい！

大地を支える基盤は隣に存在し続けている。上から雪をぽろぽろこぼしている、小さく見えなくなっていく白の大地を見上げて別れを告げ、目を閉じてただ何かを待った。

二章　黒の大地

【1】天界の落とし物

「ぐぁはっ！　あぁぁぁっ！」

突然身体右側面が強く打ち付けられ、防御魔法が破られるほどのダメージを受けた。魔法を使っていなかったら、強くなった鎧を着ていなかったら、確実に肉体が粉々になっていただろう。それほどの痛みにしばらく悶（もだ）える。生きていることを実感させてくれる激痛は、死を覚悟していた私には少し嬉（うれ）しかった。

「っ……ううっ……あれ……？　ここは地面……？」

落下の感覚もなくなっていたので、恐る恐る目を開ける。すると、乾いた土が視界の右側に入っていた。私を滑らせた雪も少しだけだが、一緒にこの地に降り立ったようだ。

時刻は昼頃のはずだが、ここは奥まで目をこらしてもずっと薄暗い。つい前まで奈落だと思っていた空からの赤い光がなければ、自分の足元すらわからなかっただろう。ここが話に聞く、黒の大地だろうか。

頭のすぐ近くにあった崖から下を覗いてみる。つい前まで青い空として私を見守っていた太陽や雲は、今は底の知れない奈落になっている。この大陸はどちらが上を向いているのだろう。いや、まずこの世界において上とは……？

「考えても仕方ないか。もう一度落ちて戻れる自信もないから怖いし、せっかくだからこの大地から見て回って、安全な移動方法を探してみよう……もう少し体を休めてから……」

どのみち黒の大地には後ほど行くつもりだったので、歩く大地の順番が逆になっただけで大した問題ではない。むしろ邪竜たちの情報を集める目的なら黒の大地の方が向いているだろうし、白の大地にいると山に戻りたくなってしまうことがあるかもしれないと前向きに考えていくことにした。

回復魔法をかけて、痛みが和らいでやっと動けそうになったとき、遠くから何人かの人影が歩いてくるのが見えた。徐々に声も聞こえてくる。

「しらみつぶしゴブね、アニキ。このあたりに天界の落とし物があったことなんて一度もないのに」

「かすかな希望でも信じたいゴブ。最近稼ぎが悪いのは皆も知ってるゴブね」

緑色や灰色の肌の集団が集まっていた。亜人族の一種、ゴブリン族だ。話には聞いていたが実物は初めて見る。六、七人は確認できた。先頭の一人は他のゴブリンよりさらに背が低いが、その隣のゴブリンとの会話を聞く限り隊長だろうか。

ここは立ち上がって道でも聞こうと思ったが、やはり竜族以外はまだ怖く、本調子で喋（しゃべ）る勇気も元気も出ずにそのまま倒れたままでいる。

「お⁉　アニキ、何か落ちてるゴブよ！」

「でかしたゴブスナイパー。大物ゴブ！　でも、あれは何ゴブ……？」

「パッと見、人間の騎士に見えるゴブが、生き物が落ちてるなんて初めてだから、もっと近くで見てみるゴブ」

「焦るなゴブ。全員で、足並みそろえて行くゴブ。黒の大地でゴブたちが生き残れるのは、この連携が可能な知力のおかげゴブよ」

天界の落とし物、私は彼らにそう呼ばれた。捨てられた神族である私の正体を知っているのだろうか……？　と驚きかけたが、きっと白の大地の崖から落ちた道具などのことを指すのだろう。つまり白の大地から落ちて奈落ではなく反対の黒の大地に来られたのは奇跡じゃなくて、そういう仕組みだったのかな。

ゴブリンが近づいてきたので咄嗟に目を瞑る。いや、瞑っていたら会話もできないよね、何やってるの私……！

「やっぱり人間、それも女の騎士ゴブ。近くで声かけても動かないゴブね、流石に死んでいるゴブか」

「天界から落ちて体に欠損がないのはどういうことゴブ？　死ぬのは前提として、体もひどく壊れたりすると思うゴブが」

「確か天使や神々が堕天して、魔の勢力に加わるために落ちた場合は生きてるとかなんとか。つまりこの女、やっぱ人間じゃなくて神族かもしれないゴブ、訂正するゴブ」

「なら強大な力を持ってるはずゴブ。死んでるなら持ち帰って、なんとかして力だけ吸い取って捨てるゴブ？」

弓を持った灰色のゴブリンが慌てたような声で私に接近する。声が近い。

「アニキ、それはもったいないゴブって！　女の騎士ですぜ。見たとこ装備も上物、全部ひん剝いて売っぱらえばかなりの額ゴブ！　残った本体も、皆さんがいらないなら……このゴブスナイパーが個人的に回収してゴブフフフフ」

「おい待つゴブ。そいつ動いて――」

「……ッ!?　ブレイブ、発動！」

「ゴブゥゥゥゥッーー！」

身の危険を感じて、攻撃力上昇の魔法を自身に発動しながら杖でゴブスナイパーを強打した。そのままスナイパーは崖から落ちていく。

「コイツ生きてるゴブ！　隊列を組むゴブ！」

隊長が他のゴブリンに指示をしながら後退する。私はこの勢いに身を任せて、新たに前に出てきたゴブリン二人の頭を殴る。すると二人はそのまま倒れて動かなくなった。身を守るためとはいえ、初めて人を攻撃した。

「皆！　ゴブスナの仇を取るゴブ！」

会話することすら検討したのに、もう引けない段階まで来てしまったことを悔やむ。生きるためには、ここを乗り越えないといけない。戦闘も、それによって痛む心も。捕まって身ぐるみ剝がされるなんて絶対に嫌だし、躊躇なんてしてられない。

「セレスティアルレイン！」

周囲に花びらを舞わせる。気付いたことが三つある。技名は発声すると、イメージの工程のいくつかをスキップできて便利なこと。そしてこの花びらが周囲にあることで、力がみなぎり、新たな魔法が使えるようになること。そして――

「痛い、痛いゴブ！　こ、これはトゲゴブ⁉」

セレスティアルレインは、自分が敵と見なした目の前の対象にはトゲを降らせること。セレスティアルは薔薇の一種なのかもしれない。

「その隙、もらった！」

「くッ、させないゴブ。さあやるゴブ！」

「ゴブゴブ・スナイプ！　ゴブ！」

隊長の指示で、後ろに配置された二人の弓兵が矢を放った。ゴブスナイパーは一人ではなかったのだ。隊長への攻撃を中断して下がるが、崖がすぐそばに来てしまった。

「まずは弓兵を倒さなきゃ！」

下がることもできないので、弓兵に向かってダッシュする。隊長は何故か追ってこなかった。ありがたいので気にせず行くと、弓兵の笑みに気付いたと同時に足に衝撃が走った。私は何が起きたかもわからないまま、派手に転んで倒れる。

「ゴブゴブ・トラバサミ、ゴブ」

「でかした、ゴブスナイパー！」

足が金属の歯に挟まり、下手に動くとガリガリと削られる。鎧がなかったらと思うと恐ろしい罠（わな）だ。さらにこれは地面に埋め込まれており、抜け出そうにも時間がかかりそうだった。

「くっ……ゴブリン族は弱いって聞いてたのに……」

隊長がこちらを見下ろしながら悠々と歩いてくる。

「弱くても知恵があるゴブ。作戦成功、これで逆転ゴブ。生きていた場合はその神の力を見せて冥府軍に仕えさせることにより、ゴブたちの立場を高めようかと思っていたゴブが……気が変わったゴブ。コイツはスナイパーの望み通り身ぐるみ剝がしてやるゴブー！」

「ゴブー！」

全員が隊列を崩して私に向かってきた。トラバサミはそう簡単に外せない。

「来ないで、来ないで……！」

「ゴブゥ～その顔良いゴブ。落ちたスナイパーもこれなら許してくれるはずゴブ。天界の落とし物、ゲットゴブ！」

せっかく落ちても生き延びたのに、何もできないまま黒の大地の初戦でこんなことになるなんて思ってなかった。もっと物事は簡単に進んでくれると思ってた、あのときの私が馬鹿だったのかな
――

「――逆転は戦いが完全に終わるまで、何度でも起こせるものだぞ」

「え……？」

ゴブリンが突然包囲を解くと、その体の隙間から新たな人影が見えた。後頭部でひとつに結んだ白く長い髪、赤い角、尻尾、そして赤い鎧を着た女性の騎士が、鎧と同じ色の大剣を持って立っていた。

「な、何奴ゴブか⁉」

「私はアルン。その蒼い騎士に用があってな。邪魔するというなら、容赦なく燃やす」

「馬鹿め、こちらは集団ゴブよ、知能を活かした連携を見るがいいゴブー！」

ゴブリンは一斉に、アルンと名乗る赤い騎士に飛び掛かった。騎士は剣を構え、ニヤリと笑った。

【2】赤き竜鱗の剣

その後の戦闘は一方的なものだった。騎士の剣から炎が燃え上がり、薙ぎ払いで周囲のゴブリンを一気に灼いた。防ぐ者、逃げる者を見つけると、剣が炎を放って灼き斬った。剣の動きに合わせて燃える炎は、同じひとつの武器に見えた。

あぶられ斬られたゴブリンは、私が倒した前衛二人のゴブリンと比べて、ひどい有様になっていた。その炎の世界の中心に立つ騎士は、鎧の一部を自身の炎で焦がしながら笑っていた。

「はっは！　なんだ、達者なのは口だけじゃないか。途中から冷静さを失って、自慢の知能とやらも私並みに落ちていたな」

剣の炎を消してこちらに近づいてきたので、思わず俯くが、騎士は私の顎を空いていた左手で持ち上げた。お互いに間近で顔を見る。さっきまで荒々しい戦闘をしていたとは思えない、美しい顔だった。

「天界の落とし物、か。納得だ。こんなに純粋な瞳をした者は今まで見たことがないしな」

「えっ……あの……その……」

私の困惑に気付くと、騎士は私の足についているトラバサミを外してから、下がって剣を地に刺した。

「ああ、すまない。改めて名乗らせてもらおう。私はアルン。お前に少し興味が湧いてな。ゴブリンから横取りさせてもらった」

動けるようになった私は、立ち上がってすぐ頭を下げた。

「私はレクシア。さっきは助かりました。ところで私の何に興味が……？」

目線を逸らさずに喋る。

「お前の周囲を舞っている蒼白く光る羽だ。なんというか、竜の息吹のようなものを感じるんだ」

「これですか？　父にもらったもので、私の魔法を強化してくれるんです」

羽を左手の近くにもってくる。幻影の羽が大量に周囲を舞う。私の力の増幅を感じると同時に、アルンさんが剣を構えた。危険を感じて数歩下がる。

「そうだこれだ。その力を私に感じさせてほしい！　お前の父は何者だ、これは熟練の魔術師でも作れない代物だぞ！」

「えっ、ちょっと待って。普通に聞いてくれれば答えるのに！　剣を納めてください！」

　こちらも右手に杖を構える。アルンさんは私が構えるのを見てむしろ喜ぶように笑った。この人、話を聞く気がない。

「力の強さは言葉では語れない。私は、こうして戦うためにお前を助けたんだ！」

　アルンさんが斬り込んでくる。

「ひゃあ！　せ、セレスティアルレイン！」

　バックステップで回避し、さらなる強化兼妨害魔法をかけるが――

「そうかお前、神族か。悪いがその羽の力だけを感じさせてくれ！　燃えろ！　我が竜鱗よ！」

　アルンさんの剣が燃え、その炎が私の発生させたトゲを焼き払った。私の周囲の花びらも、炎の範囲外でありながら焼け落ちる。私は慌てつつも、その燃える花びらの炎を回避する。

「この炎は火竜の息吹。焔(ほのお)の逆鱗(げきりん)は神や天使の事象顕現を容易(たやす)く打ち破る、私の本来の力だ！」

「そんな無茶苦茶な！」

「竜人に基本その力はないが、強力な竜族は全員がこの力を持つ。覚えておくんだな」

　そう言って、再び踏み込み斬り込んでくる剣を杖で受け流し、バックステップ。このままでは防戦一方だ。ギリギリで対処しているると相手の炎の熱が伝わってくるので、相手が有利だ。

「くっ……」

「羽の力を使え。それが私の目的なんだ」

「はっ――そうだ。まだ使えそうな技、いっぱいあるんだった！」

羽から流れ込むイメージを受け取り、実行する。杖の先端の魔石から半透明の蒼い刃が伸び、杖は薙刀(なぎなた)として使える武器になった。

「セルリアンスレイブ！」

「よし、全力で来い！　はぁぁっ！」

「やぁっ！」

わざわざ私の準備を待っていたアルンさんと武器を打ち合う。押される、押される、下がる。この人に力では勝てない。

再び振り下ろされる剣。その側面の鱗部分に刃を打ち込んで狙いをずらして回避。隙ができたところに反撃！

「遅い！」

しかしその隙の後に立て直すのが予想より速く、正確に防御される。でも今攻めているのは私なので、ここで動きは止めない。

「アクアブレイブ！　杖に付与！」

「焔の逆鱗——何っ!?」

初級の水攻撃を蒸発させるべく発せられた炎は効かず、ただ純粋に刃がぶつかる。水を貫通して私を燃やしにきていたようなので助かった。

「そうか。羽で強化されて使う力は竜の異能のような魔法であって、神の事象顕現は最初の花だけか。道理で私の炎で焼けないわけだ。お前、神か竜か、どっちだ？」

「竜に育てられた神族って言ったら信じてくれるかな——再発動、セルリアンスレイブ！」

「私も特殊な身だ。信じるぞ！　——バーニングブレイド！」

今度はさっきまでの剣にのみ発生する炎ではなく、ゴブリン掃討に使われた炎の剣だ。再発動で魔力の強度が戻ったセルリアンスレイブの刃で視界左の剣をなんとか受け止める。

「まだだレクシアァ！」

さらに左から同じ軌道で炎の剣が迫る。極限の戦いの中で使える技がわかってくる。剣を受け止める杖を右手に任せて、空いた左手を伸ばす。大丈夫、この炎はきっと焔の逆鱗とは違う！

「トワイライトクロス！」

私の第二の事象顕現は、左手から炎に向かって発生した。夕焼けのような光が炎をかき消し、同時に消滅した。予想は外れ、バーニングブレイドにも事象顕現破壊の効果があったが、なんとか相殺という形で役目を果たしてくれた。

「面白い、面白いぞ！」

「なんだろう。私も楽しくなってきた！」

本気の戦いが続く中、杖で殴られて気絶していたゴブリンが途中で目を覚ましたのか、漁夫の利を狙いにかかってくるのが見えた。アルンの後ろから一人、棍棒(こんぼう)を構えて突進してくる。

「仇ゴブ——！」

「後ろ危ない！」

「こっちの台詞(せりふ)だ！」

そういえば私が殴ったゴブリンは二人いたのだ。お互いの背後から突進してきたゴブリン。私たちはお互いを守るように前方に見えるゴブリンに向かって踏み込んで斬撃を叩き込んだ。ゴブリンの挟みうち効果が私に遅れて効き、力の抜けた私は手を地についた。今度こそ動かなくなったゴブリンが目の前にいた。私がやったんだ。

——ごめんなさい。

戦いの世界の辛さを知ったが、私は覚悟してここに来たし、生きるために戦闘を先にしかけたのは自分だ。謝りはするが、戦いの中なので自責の念を感じる暇もなく、そのまま突っ伏していると私も危ないので立ち上がる。

しかし、振り返るとアルンは剣を地に刺して笑っていた。

「邪魔が入ってしまったな。惜しいがここで終わりだ。ナイスバトル」

「な、ナイスバトル。私も良い経験になったから、なんだかんだ良かったかな……はぁぁぁぁ

……」

強がって返答するが、またぺたりと座りこんでしまった。ゴブリンが来なかった場合、ちゃんとやめれてたかなこの人……

戦闘で疲れ、休憩。アルンがそのまま黙っているなんてことは勿論なく、自然と会話が始まっていた。

「レクシア、お前いつの間に敬語が消えてるな」

「あっ、ごめん嫌だったかな？」

「むしろこっちの方がやりやすくていい。名前もアルンと呼んでくれ」

敬語は戦いの中で飛ばしてしまったのだろう。色々と荒っぽいところがあるが、不思議と打ち解けやすい人だ。

「親の種族が竜族だったりする？」

「私は竜族で、人間に興味があってこの竜人の姿で活動を始めた」

「だから竜族の事象顕現破壊ができたってことだね」

あと、それを知る前から話がしやすかったのも、このおかげだったりするのだろうか。だとしたら人見知り改善は大してできていないことになっちゃうなぁ……と、少しへこむ。

「次は私の質問だ。結局その羽はなんなんだ？　力は把握したが、物自体の詳細がわからん」

「それは戦闘する前に聞けたよね……」

「黒の大地の竜が戦闘よりも会話を先にするのは難しい話だな！　はっはっは！」

「開き直った……こほん。この羽は私を育ててくれた竜の羽の一部をもらったもので、この杖と一緒に使えば、竜の異能を私が引き継いで使えるようになるって感じかな、多分」

「多分、か。レクシアもまだ完全には把握していないんだな。その羽から感じる竜の力は、エルダークラスに匹敵する。上手(うま)く使えばもっと強い魔法が使えるかもな」

「エルダークラスって？」

「およそ一万くらいの年齢を超えた竜族はそう呼ばれ尊敬や畏怖の対象になる。神として信仰する場合もあるな」

心当たりがあった。イリオスはエルダークラスなのだろうか。本人は年齢は万を過ぎてはいないと言っていたが、麓の村人たちは信仰していた。力もそれに匹敵すると竜のアルンに言われて、守護神イリオスの凄さを再確認する。

「もうひとつ質問だ。レクシアは何故こんな所に一人で？」

天界の落とし物として来た、というのをアルンは知っている。目的を聞いているのだろう。

「えぇと、修行とか、勉強、だね。強くなって、世界のことも知って……人見知りも克服して。それで、最終的に家族を守れるくらい立派な騎士になる」

「おお、なら今後やることは私と一緒だな。私の目的も勉強や修行だ。最終的にはこの姿で人間との交流を盛んに行い、その後はそのとき考える。竜としての生活も楽しいが、他の種族との交流が少ないんだ……」

「まさか寂しくてむぐっ」

「その口は閉じて新たな気持ちで口を開け」

突然塞がれた口をしばらくしてから解放された。実際そう思っていたかどうかは推測することしかできないけど、もし当たっていると仮定すれば、意外と可愛い一面もある。

「人間とは話せた？」

「竜のときに数回な。だがまだ竜人の姿では人間に会っていない。旅は始めたばかりなんだ。剣はしっかり振れるように練習したが」

じゃあほとんど私と同じ状況ということだ。体の形を変えた割に私より強そうな剣の腕をしていたのは驚愕(きょうがく)だ。

ぼーっと剣を見る私に気付いたアルンが剣を持ち上げて立ち上がり、私の視線を上に動かした。

「なあレクシア。お前がよければ、私とともに行かないか？」

言葉の意味を理解するのに数秒かかった。

「え、いいの……？」

「お前自体にも興味がある。戦力としても心強い。私は別に一人で行く、なんて決めてないしな」

言われてみれば確かにそうだ。私も一人を覚悟したが、別にそうでなくてはいけないと縛ってはいない。むしろ人見知り改善のためには、会話ができる人が常にいた方が練習になるくらいだ。

「わかった。私としてもアルンがいてくれると助かるよ」

アルンが私を起き上がらせるためか、握手のためか両方か、座る私に手を下ろしてきた。頷き、手を取って起き上がる。アルンはニカッと笑った。

「強くなったらまた戦ってくれ。ヨロシクだ、レクシア」

「た、戦うのは考えさせて……？　こちらこそヨロシク。アルン」

普通の挨拶だったはずだけど、普通より気合が入るような、不思議な響きに聞こえたので真似(まね)をしてみた。すると遠慮がちに触れていた私の手が、相手と同じ力加減まで強まる。装備などの見た目も性格も対照的だったが、この繋(つな)がった手は同じ気持ちで握ることができたと信じたい。

「レクシア、私は腹が減った。行動提案の先手は私だ」

白の大地に戻るという目的はあったが、急ぐ旅ではないので黒の大地での行動を決めることになった。そこでアルンが腹が立ったように有無を言わさず発言した。

「うん、そうしようか。ここは暗くて時間がよくわからないけど、白の大地から出発した時間を考えると、昼過ぎって時間すら越えてるかも」

「お前はなんでそう冷静なんだ？　腹の虫でわかる。明らかに子供が間食を取る時間だぞ⁉」

「神族や天使は食事もするけど、しなくても長時間安定するらしいね」

「それなのにあの豊かな地を治めているのか。黒の魔族が戦う理由のひとつがわかった気がするぞ……」

アルンが悲鳴を上げるように腹を鳴らすので、そろそろ本格的に動き出すことにした。

「でもお腹が空いてるのは私も同じ。それで、どうやって食料を調達するの？　ここって白の大地にあるような野菜が全く生えてないけど」

「食べられる植物は商人から買うしかない。だから私は動物の肉を焼く。見ろ、かなり遠いが、猪の群れが見えるだろう？　あそこを叩く。もう我慢できん、行くぞ！」

アルンが少し早口でそう言って走り出す。見やると、黒い毛皮の猪がぱらぱらと歩いていた。叩くということは、あの猪を狩って食べるつもりなのだろう。だが一度しか狩りをしたことがなく、それもイリオスについていっただけの私はたじろいだ。しかしアルンは走るのを止めないため、遅れて追いかける。

「猪ども、私の糧になるがいい！　ぜやぁあ！」

先頭の猪に一撃入れると、他の猪も寄ってきて集団戦闘になった。たくさんの牙が赤い鎧目掛けて走り込む。

「レクシア！　予想より少し集まる数が多い、援護してくれ！　……レクシア？」

私が攻撃できなかったことで妨害は理想通りにいかず、アルンは牙のひとつがかすって後退した。

「ひ、ヒールっ……！」

魔法で即座に傷が癒えたアルンが私を驚いたように見てから、猪に反撃を開始する。

「そっちの作戦か。まあいい、私一人で十分だ！　食われる前に、一度この火竜の炎を味わっておけ！　バーニングブレイド！」

「コンボ、ブレイブ！　ごめん、頑張って……！」

時間はかかったが、群れは全て、倒すか逃がすことができた。

アルンが剣を鉄板代わりにして肉を置いて、火をつけて焼く。戦闘以外での力の使い方の発想も見事なものだ。

アルンがこんがり焼けた肉を私に手渡し、自分の肉にかぶりつきながら喋る。少し行儀が悪いが、ここでそんなことを気にしても仕方なかった。

「あの戦闘はどういうことだ。確かに回復はありがたかったし、回避をあまり意識せずとも戦えて楽しかったが。お前はヒーラーとしての訓練をしてきたのか？」

一対一で戦ったアルンは私が攻撃魔法も同じくらい使えることを知っている。当然の疑問だ。隠し事はできないので正直に話す。

「ごめん、任せちゃって。実は狩りをした経験が一度しかないの。戦う意思のない生き物に対して自分から戦いに行くのに、どうしても抵抗があって……少し前のゴブリンも、今になって自責の念にかられて申し訳なくて……」

アルンは怒るどころか微笑んでくれた。

「お前は、肉を食ったのはこれが初めてか？」

「いや、少ないけど、何度かは用意されたものを食べたよ」

「ならお前の親は、自分から戦いに行ってるんだな。娘のために」

「そう、だね……」

「相手から攻めてきて、自分の身を守るために戦うのは、死にたくないから足掻くため、生きるためだろ？　少なくともこの黒の大地じゃ肉しかほぼ食えない。私は環境に殺されそうになって、生きるために戦ったんだ。私の中では似たようなものなんだがな……肉、美味いか？」

「うん、おいしい」

「お前が戦えないならそれでも構わんが、その肉には謝罪ではなく感謝をして食え。私たちはこいつらによって生かされ、今日も生きるんだ」

そう言ってまた肉にがっつくアルンを見て、私も肉をほおばる。おいしい。すごくおいしい物を前に感謝をしようとして、涙が出そうになった。考えてみれば肉に限らず、野菜を食べるのも同じ感覚かもしれない。私はずっと、イリオス以外の生物にも育てられていたのだ。

「ありがとう。わかった、次からは私も戦うね」

「ああ。私のような、戦いの好きな奴が言っても何も響かないと思ったが、少しでも何か変わったなら良かった」

むずがゆいのかそっぽを向くアルン。お礼に私から調子を戻しにかかる。

「でも、炎が舞ってるから前に出れなかったのも、一応あるよ？」

「あっ、確かに私もいつも通り剣を振りまわしてたな！　支援魔法がかかると簡単に高火力が出せるから楽しくて仕方なかったんだ。レクシアが望むならさっきの戦術のままでもいいぞ！」

狙い通り大笑いしてくれた。つられてこっちも笑ってしまい、調子が戻った。そしてしばらくして、突然アルンの表情が真剣なものになった。

「急だが場所を変えるぞ。猪狩りの戦場でそのまま食事をしていたから、どうやらボスがこっちに近づいてきているようだ」

地響きが聞こえる。さっき戦ったのより一回り大きく、立派な黒いたてがみをした猪が、赤い目を光らせて走ってきた。どうしよう？　とアルンを見ると、近くにあった岩を指さしたのでそこまで退避した。

「エリュマントスだ。そこまで珍しくない魔物で、私も本気で戦えば勝てるだろう。だが肉は十分食ったし、あいつの相手は疲れるからな」

魔物は、黒の大地に生息する、普通の動物より強大で凶暴な生物の総称だ。このような環境で生きるためには強くなければならない。動物より魔物の方がここでは多いという。初めて魔物を見た私は隠れた岩から動ける気がしなかった。戦うとなればイリオスの力がついているので勇気が出るが、戦わないときは逃げるための脳に切り替わってつい引っ込んでしまう。

「ここから離れようにも、見つかったら逃げられないよね」

「そうだな。アイツはとにかく速い。あとやっかいなのは地をひどく荒らすことだ。一度通った道は走るには不安定だから、戦うか隠れ続けるかしかないな」

後者を選択して待つ。定期的に岩にぶつかってくるエリュマントス。

「えっ、えっ⁉」

口が上手く動かなかったけど、ねえ場所バレてるんじゃないの⁉　と目線と表情でアルンに聞く。ちゃんと伝わったのか、大丈夫だと言ってくれる。死骸や肉があるこの場所を走り回って偶然この岩に当たっていることは理解したが、やっぱり怖い。途中アルンが片手で私を抱き寄せてくれたけど、結果私が情けないことになってしまった。初体験なので仕方ないところもあるけど、このまま弱い子だって思われないためにも、体と視線は岩と、その奥のエリュマントスに向けて強く意志を保った。

岩が端から崩れかけてきて、戦いを覚悟したとき、エリュマントスのさらに奥の方から声が聞こえた。

「餌の時間だ。さあ、好きに貪れ」

そして数秒後、全ての音が消え、エリュマントスの存在を感じなくなった。恐る恐る岩から顔を出すと、そこで暴れていたはずの魔物や、アルンが倒した猪の焼き肉、そして食べられないため残し内臓などが消え、骨のみが散乱していた。骨格は綺麗に形を残していたが、それ以外は何もなかった。

「ひ……っ!?」

尻もちをついて後ずさりする。アルンもこの惨状を見て、数歩足を引いた。

「どうなってるんだこれは。さっきの声と関係があるのか?」

「助けてくれた……のかな」

「いや、どうだろうか。顔を出していたらこちらまで食われていた可能性もあるぞ」

アルンはこう言うが、私は信じたかった。アルンだって、助ける以外にも目的があり、そのついでに私は救われたのだ。きっとこれも、ついでに食事を済ませた、というような感じなのだと考えたい。

「行動、次は私に提案させて。これをやった人を、探して追いかけたい」

「なるほど、それは面白いな。乗った」

足跡や痕跡を探して歩いた。そしてわかったのは、これの原因は私たちの進む先を歩いている悪魔、世界の誰もが知る七大魔王の一人、暴食のベルゼブブだということだった。

【4】冥界の番犬

尾行してたどり着いたのは横にも縦にも大きく広い門だった。まるでイリオスの聖域のように周囲の石の壁も高くなっていて、それこそイリオスのような身長でない限り簡単に奥を見ることはできない。それでもその壁の天辺(てっぺん)を見上げると、城のようなものは少し見えた。自分でそう考えたのを否定したいが恐らく人工物だ。

この大きさの城に住むのも納得の存在、七大魔王の一人のベルゼブブがその門の前で止まり、門番と思われる獣人と話していた。しばらくすると門がゆっくり開き、門番が警戒をするような動きを始めたので私たちは顔を隠す。ベルゼブブがそこを通ると門が閉まり、門番はその後あぐらをかいて、ウトウトしていた。

「やはりベルゼブブで間違いないみたいだな。どうする。本当に行くか？」

「助けてくれたって信じてる。だからお礼をするためにも私は行くよ」

「レクシア、お前は本当に面白いな」

敵対心を疑われないように堂々と正面から歩いて門に向かう。すると獣人の門番がひょいっと立ち上がった。

「君たちがいたのはわかってたよ。アタシはガルム！　見ての通り、冥界の門番をやってるんだ〜

♪」

獣人は動物の特徴を持つ。この門番は犬、狼（おおかみ）にも見える。青く長い髪、そして同じく青く大きな耳や尻尾を動かしながらこうも気さくに話しかけられると、警戒していたのが馬鹿らしくなってくるが、フレンドリーだが勢いのある圧は私の足を一歩下げさせた。隣のアルンが名乗り返す。

「私はアルン。火竜だ。今は騎士をやっている」

この流れに続くべきだが、相手が人間の形をしているとどうも声が出ない。麓の村の婆様たちに恐れられてから、私の存在は相手を困らせてしまうのだろうかという思考がぐるぐる回って止まらない。心の中ではそんなことはないとわかってはいても、体が従ってくれない。アルンに背中を押されて前に出されてなければ、このまま下がっていたかもしれない。やけになって口をこじ開ける。

「レ、レクシアです。同じく騎士を……騎士、です」

「ここに入れてもらうことは可能か？　勿論敵対心はない。無所属流浪の騎士なのは、経験の長い門番なら見てわかるだろう？」

「だめだよーっ。ここから先は機密いっぱいだからさ？　七罪か冥府軍所属しか通さないよ。許可が下りてるならアタシにも連絡が来るはずだから、嘘ついてもわかっちゃうからね？」

ガルムさんは笑みのまま返答してくれるが、その内容は厳しかった。しかしこのまま帰るのも嫌なので、負けずに口を開く。

「私はここにお礼がしたくて来て……何かできることとか、ありませんか？」

「うーん……そうだ。君はレクシアだっけ？　なんかお話してよ！　アタシここでずっと座ってるだけで暇してたんだ～。壁をよじ登ろうとする魔物もいなくなっちゃったし、門にお客さんが来たのも久しぶりで……」

なんでもやるつもりだったけど、お話なんて無理だよ……なんて思っていると、アルンが天才的な助け船を出してくれる。

「私たちは世界を知るために旅をしている。そこで無知な私たちに、機密ではない、一般的な知識をくれないか？　話題を振られておいて、こちらからお願いしてしまうことになるが」

「うーんわかった。でもそこから発展して、君たちのことも教えてね」

「――早速だが、冥界の門番と言ったな。私は冥界とはこの大地全てのことだと思っていたんだが、そんな大役を背負っているのか？」

「いやー？　本当はルシファー様と協力しているハデス様の治めるこの土地。ただハデス様が七罪に加入してからは全体の勢力が強すぎて、いつしか大地全体がそう呼ばれてるときもあるっぽい。あと、似たような言葉に魔界があるけど、それは黒の大地の西の方にある、特に危険な荒くれ者たちのエリアのこと。けど天界人は黒の大地全体をたまに魔界って呼ぶよね」

小さな、風を切る音。その発生源を見ると、アルンの尻尾がぴくっと動いていた。しかし特に喋る様子もないので、ガルムさんの話は続く。

「んーっと、あとさらに似たような感じで、天軍の治める天界も最近は白の大地自体を指すことがあるね～。実際は白の大地上層の天使の居住区って聞いたけど」

「あ、道理で私、天界の落とし物なんて言われたんだ……」

私が呟くと、ガルムさんが目を輝かせて迫ってくる。

「えっ、君って天界の落とし物としてここに来たの⁉　すごい生きてる！　感じる力に違和感があったけど、ひょっとして神族とかだったりする？　天使じゃないから堕天とかはできないだろうし。ここの人たちに白の大地の神の加護を授けたくなったり？　黒の大地には寝転がる緑がないのつらいから助かるよ⁉」

距離が近い。というかグレイルといいガルムさんといい、ちゃんと私の力を感じて神族って推測してる。力を感じるのが神族だけなんて以前予想してたのが恥ずかしい。

「は、はい……でも未熟だし、神としてなにを司ってるのかも自分でわからないし……」

「ふーん。どうして天界から落ちてここまで来たの？　お礼がしたいんだっけ」

「さっき、ここを通ってきた悪魔の人に助けられて、それで、追いかけて……」

「へー、ベルゼブブ様がねぇ。不思議なこともあるもんだって思ったけど、実際セブンシンズってけっこう良い人多いんだよね」

「今、セブンシンズと言ったか？　それは七罪、七大魔王の別名か」

アルンが顎に手を当てて割り込む。

「そうだよ～。まあ七罪は七大魔王が従える魔物たちの勢力それ自体の通称としても使われてるから、ややこしいんだよね～言葉って。アタシたちハデス軍の冥界も七罪に含まれてるし、解釈次第で規模に差がありすぎるよねー」

「魔物を従えているのも初めて知ったな。なら私の予想よりも、仕事は多いのかもしれないな」

「そうそう、ベルゼブブ様も事務仕事のために戻ってきたんだ。冥界は部下もちゃんと、七罪が従える上司からそれぞれ仕事を任され――」

急にガルムさんの顔が固まった。

「あ、あはは～。思い出しちゃった。ごめんね二人とも。最近仕事をサボりすぎたせいで、ちゃんとやってることを証明するためにちゃんと働いてるとこだった！　ここでおしゃべりだけして二人を帰らせたりして、それが見つかったらホントにやばいかも……えっと、ごめんね？」

嫌な予感がした。というかもう確信した。私はこういったことに巻き込まれる人なんだと思う。

「ねえアルン……これってもしかして……」

呼ばれたアルンは私を見ると、私に今一番見せてほしくないタイプの笑顔を浮かべた。

「お礼の時だなレクシア！　私はこの仕事を手伝ってやろうと思う。しかもこれに勝てば、侵入者として冥界に入れるぞ！」

やっぱりかぁ……。黒の大地というか、この世界の人たちは全くもう。

「じゃあ、おしゃべりはここまで！　せっかく話した仲だし、簡単には死なないでね！」

ガルムさんは大きく宙返りして距離を取り、着地位置に刺してあった二本の大きな槍(やり)を片手で一本ずつ手に取って構えた。

その後、しばらくの静寂。

目には見えなかったが、雷の音が黒の大地に響いた気がした。戦いを求める、ひどく飢えた音だ。

　私が雷の音を感じたとき、既にガルムさんの槍とアルンの剣は打ち合っていた。音はかき消されたのだろう。雷に気を取られていたとはいえ、目視ができなかったほどのすごい速度だ。

　あの槍は刃が先端だけでなく柄の真ん中あたりまであり、ほとんど大剣みたいなものだ。それを二本も同時に打ち込まれて耐えられるのは、アルンが竜の筋力を持っているからだと思う。私にアレは防げない。しかも槍はリーチも長く回避も難しい。よって、後ろからアルンの支援をするべきだろう。

「双牙衝！」

「効かんっ！」

　攻撃を弾かれたガルムさんがその力を利用して跳び、槍を逆手に持ち替えてから落下する。

「からのっ、幻狼！」

　落下する狼の数が三匹に増えた。正確には金色の幻影の狼二匹が、ガルムさんと連携するように同時落下して牙を向ける。

「もいっちょ、双牙衝！」

「させない！　トワイライトクロス！」

　観察する余裕があって狙いが把握できたので、ここで私が幻影二匹を黄昏の光の中に入れて消す。アルンが再び同じように双牙衝の打撃を弾く。

「二匹じゃだめか～。いいね。じゃあ次、これはどう？」

アルンの左から幻狼が襲ってくる。アルンはそれを難なく弾く。さらに右から来るのを、挟みうちにならないように左のを突き飛ばしてから防ぐ。そうして前方の三匹目、後方の四匹目を弾くと、体勢を立て直した後方以外の三匹と同時に、召喚主も飛び出してくる。

「何匹来ようが無駄だ。火竜の炎を味わえ！」

振り返りながら回転斬りで発動したバーニングブレイド。これによって作り出された炎の世界に狼たちは入っていった。しかしガルムさんはその身のこなしで剣をジャンプ回避、振り終わった後の竜鱗の剣の側面を踏み台にして炎の世界から飛び出し、遠く離れた私に向かって跳んでくる。その表情は会話していたときの笑みと同じだったが、目だけは獰猛な獣のそれだった。

「ホーリーシールド！」

「予想通り！」

ガルムさんは光の壁を叩かずに私の後ろまで跳んでくる。私が攻撃を選択していたらガルムさんは無防備にやられていただろうから、賭けに勝った――いや、長い戦闘経験で簡単に予想できたのだろう。

即座にシールドを解除して振り向く。視界に槍の石突き。反射的に目を閉じて両腕を盾にする。

「ほいさっ！」

「んぐぅ――っ!?」

腕ではなく腹に衝撃。眼球狙いの石突きは寸止めのフェイクで、本命は蹴りだったのだ。

打撃で飛ばされて倒れる。また聞こえた雷の音で起きて目を開く。赤く光る獣の眼と、首狙いの双槍。

「そこは振り返るんじゃなくて前にダッシュだったね。秘技・破喉牙」

「バーニングブレイド⁉」

「くっ」

赤い眼が離れ、さっきまで獣がいた位置で炎が舞う。火の粉が私に降ってくる。

「熱い！　あっつい！」

生きてた、助かった。あれは完全に殺しに来てた。炎の熱がなければ生きた心地がしなかっただろう。

「いやー、やっぱ二人相手は大変だなぁ。これなら本気でいけそう！」

「むしろ最初から私に本気を見せてみろ。さっきはよくも逃げてくれたな」

起き上がると再び剣と槍が対峙していた。いや、あれは槍じゃない。牙だ。

人間の知能と獣の身体能力を併せ持つ獣人、そろそろ恐怖の対象になりそうだ。しかし私も次は同時に攻めないと、さっきと同じパターンが予測されるので、離れたりせずに杖を構える。

「じゃあ本気で、アタシの槍さばきを見せてあげる！」

狼は片手だけ牙を順手に持ち替え、目視が難しい速度で突進し、アルンに連続攻撃を行った。体全体を様々な方向に回転したり、しゃがんだり跳んだり。アルンは剣を燃やして相手に行動制限をかけることでしのいでいるが、ずっと耐えることはできず、アルンが体勢を崩す。

「セルリアンスレイブ！」

「見えてるよっ！」

私の攻撃は間に合わず弾かれる。幻狼が二匹出現し、私の後ろに回り込んでくる。幻狼を目視したいのを邪魔するように、ガルムがその手に持った牙を私に向けて右へステップ。召喚主の確認を余儀なくされる。

「修行が――」

超速の左ステップ、遅れて目視。

「――足りないね――」

右ステップ、目視。

「――っと！」

左ステップ――いない！

「奥義っ、天落双星♪」

上から聞こえた声。見上げると背後の幻狼と同時に打撃を見舞うガルム。咄嗟に杖で防ごうとするが、きっとこれは挟みうち効果が働く。いや、挟みうちなんてなくても私には防げない――

「奥義中は無防備な犬っころだな」

空中の狼たちに向かって炎の剣が燃え、幻狼が消える。

「っつ――まだ！」

攻撃を続行してきた召喚主。だが速度の落ちたこれはもう奥義ではなく、通常の振り下ろし攻撃の双牙衝だ。杖と牙が重い音を立ててぶつかる。

「これなら……っ！」

倒れないように膝を地に付けて耐えて、無理矢理にでもダメージ中の体を動かして、相手の攻撃の隙を叩く！

「トワイライトクロス！」

「おっと！」

ガルムは追撃を放棄して大ジャンプし、私の光攻撃を回避する。しかしそこに良いタイミングで炎の渦が燃え上がる。体勢が悪くなったガルムの着地地点に行ければ勝機はある。動けないと訴える私の体。なら運んでもらおう、イリオスに！

「私を飛ばして！　蒼竜の羽！」

飛竜のようにはいかなかったが、突風に飛ばされるように低空で突進ができた。よし。相手に翼はないので跳んだら着地は必ず行わなければならない。その瞬間を狙って足元を叩く！

「これでっ！」

「うわぁ!?」

ガルムは驚いた声を出したが、見事な判断で、刃が当たらないように足を強引に浮かせて、体を空中で横にして回避する。

「決める！」

でもそれは体勢を無理に崩す行為、倒れたところを狙ってもう一撃！

「えいぃ！」

双槍で防がれた。これでもだめかと悔しくなった、けど、私は一人じゃない！

「よくやったレクシア！　これでどうだ！」

この戦闘位置に到着した、アルンの竜鱗剣が振り下ろされる。

「ひぃっ」

ガルムが体を曲げる。地を叩いた剣の炎が大きく燃える。私に構わないでアルン！

「はあああっ!?」

「があっーーっ！」

「ぐっ……」

剣が発生させた爆風が三人を包み、事前に構えていなかったガルムが大ダメージを受け、ゴロゴロと転がって倒れた。起き上がろうとしてまた倒れる。その目がこちらに向けられた。

「あちゃぁ……負けちゃったかぁ……」

「決着だな」

アルンがその隙を逃さず、トドメの飛び込み斬りの構えをした。

「アルン、だめーっ！」

アルンを後ろから抱きすくめる。アルンが剣を構えたまま顔をこちらに向ける。

「ん!?　どうしたレクシア。この戦いに勝利する、ラストアタックのチャンスだぞ」

身長はアルンの方が少し高いが、私のヒールが高いため頭の高さは同じになっていて、顔が近くに見える。黒の大地で戦いの日々に明け暮れていたであろう竜族の騎士は、本気で私の行動に疑問を持った顔をしていた。それが貴女(あなた)の日常だったとしても、私がそれを認めない。

「もういいよ。私たちは勝った！　戦いは終わり！　それでいいでしょ!?」

戦いの最中ではこらえていた涙を流して叫ぶ。ゴブリン、エリュマントス戦でも感じた、この過酷な世界に対しての涙が私の声とともに流される。

「私は、守るために強くなるの。ここでトドメを刺すためじゃない……もしアルンがここでトドメを刺すために強くなったって言うなら、私はそれを止めるためにここにいる……！」

アルンは、そっと剣を下ろしてくれた。

「……そうだな。私はただ、強者と競い合いたい。ならここで終わらせず、互いに鍛え、再び力を競い合うべきだ」

ほっとして前方を見る。ようやく体勢を立て直したガルムと私たちの間に、光るランタンが浮遊し、その下の地面に真っ黒い影を作っていた。その影から紫に光る花、いや、口が姿を見せる。にょきにょきと生えてくる細長い生物は、口の光がないと見えないくらいに黒い。

「待ってオルプネー様、その二人は敵じゃない！」

ガルムが闇の生物に向かって叫ぶ。瞬間、私の影が独立して動き出し、影を作っていた私自身を倒し、押さえつけた。隣を見ると、アルンも同じように自分の影に押さえられていた。

「うっ!?　ガルム、これは何――」

「言われなくても殺したりしません。私ってそんなに凶暴に見えるんですかね……」

動けなくなった私の質問を遮るように、闇の生物の隣の影から、同じく生えるように出てきた女性がため息をついた。

雷の音は、いつの間にか聞こえなくなっていた。

【5】七罪の駒

高身長の美人、に見える。きっとそうだと思う。存在感がないのとも違う。確かにそこに存在しているが、周辺の闇と一体化しているような感じで全体像を摑めなかった。長い黒髪の先は実体がなくなっているかのように途中からうっすらと消えている、でも確かにそこにある。所々暗くて間違えそうになるが、黒ではなく綺麗な白い肌。その体にかかっているだけに見える服の布も、どこまでが布でどこからが影なのかわからなくなってくる。私が今できる観察には限界があるため、これ以上は上手く表現ができない。種族は何だろう。この不思議な感じが私の見当違いじゃないなら魔族か、あまり見かけない神秘の存在、精霊族だろう。

「外から激しい戦闘音が聞こえてきたって私の方に苦情が来て、仕事を中断して確認にきたんです。ガルムくんが真面目に仕事をしてれば音がするのは当然なのに……まあ、私も侵入者と戦ってるなんて思わなかったんですけど」

「えっ、オルプネー様、しれっとひどい！」

ガルムがオルプネー様と呼んだ女性が歩くのに合わせて、ランタンや黒い影、闇の生物も移動した。私たちの前で立ち止まり、しばらく眺めてから、隣でうごめく闇に話しかける。

「ありがとうシャドウワーム。もう大丈夫です」

するると私を押さえていた私の影が地面に沈み、ただの影に戻った。アルンも同じように解放されたようなので二人一緒に立ち上がる。

「ガルムくんの上司で、門番の管理を任されているオルプネーと申します。用心のためとはいえ、このような真似をしてすみません」

そう言うオルプネーさんは、ひどくくたびれた顔をしていた。ガルムは仕事をサボり気味らしいし、そういった苦労があるのかもしれない。

「い、いえ。そんなお気になさらず……」

「侵入希望者として戦ったのは事実だ。用心は必要だろう」

平和に許す騎士二人。そこに、混ぜて混ぜてとガルムが駆け寄ってくる。

「いやー負けた負けた～！　ありがとうレクシア、アルン！　楽しかったよ！」

「こちらこそありがとう。一人でこれだけ戦ったんだし、ガルムの勝ちだと思うよ」

「前半は悔しいことに加減されていたしな。――そうだレクシア、お前、私のときみたいに敬語が飛んでるな」

「あっ、ほんとだ」

アルンに指摘されようやく気付く。戦いは恐れを消さないとできないので、人見知りの緊張も消えるのかもしれない。武で語る戦闘好きみたいで少し恥ずかしいけど。

「ガルムくん。あなたの影には私のシャドウワームを繋げてるから、戦わなくていい相手ならそう言ってくれたら私も把握できます。冷静な判断をできるようにしてください」

「う、ごめんなさい。仕事しっかりしなきゃって焦っちゃってたかも」

お叱りを受けて縮こまるガルム。好奇心から聖域を抜け出そうとして、怪我をしそうになった幼少期の私みたいだ。というか、戦わなくてよかったんだね⁉　——なんだかんだ、少し楽しかったからいいけど。

「興味深い話だ。ならコイツは戦いの顚末を知っているのか？」

アルンがシャドウワームの周りを歩いて観察する。その光る口が、人間の頭を飲み込めそうな大きさでアルンの方を向く。しかしアルンは臆さず歩き続ける。

「はい。その子からある程度情報をもらったので、私も把握しています。ただ最近世の中が物騒なので、あなた方を冥界に入れるのは難しいです。何か目的があるのなら、できる限り私の方でやらせてください。こちらは負けた身なので、遠慮はいりませんよ」

「だ、そうだぞ？　レクシア」

ここで私に話を振られる。冥界に入れないなら、やはりベルゼブブさんに会うのは叶わないのだろう。なら、ガルムのミスを自分で背負おうとしている、この疲れ切った顔を少しほぐしてあげたいと思った。

「私は七罪の方に助けられて、お礼をしたくて来ました。もし良ければ、オルプネーさんの仕事を何か手伝わせてくれませんか？」

「えっ……？　それは、とてもありがたいですけど……いいんですか？」

驚くオルプネーさん。シャドウワームもこちらをぎょっとしながら見た。怖い怖い。

「は、はい。そのためにここに、来たので」

「話は聞かせてもらった」

また初めて聞く声が空から聞こえた。見上げると立派な椅子が浮いていた。椅子が地に降り立つと、足を組んで座っている魔族の女性が微笑を浮かべているのが見えた。顔を見る限り、恐らくオルプネーさんより年上だ。

「ヘカテー様！　お帰りなさいませ」

オルプネーさんが様付けしているので、上司と思われる。家族だけと過ごしてきた、まだ子供な私は、冥界の上下関係の広さに震える。あと単に人が多いだけでも震える。

「今オルプネーに任せている仕事は冥界の内情に関わるものが多く、よそ者に見られていいものがほぼないと言っていい。今から追加で頼みたかった仕事がちょうど、この者たちに任せられる。悪いがこちらの件を受けてくれるか？」

ヘカテーさんが椅子に座ったまま言う。

「私にまた仕事増やすつもりだったの……？　今でも限界なのに……？」

オルプネーさんが呟いた小声を私は聞き逃さなかった。私もガルムとの戦いで仕事を増やしてしまった身だ。もうお礼ではなく、お詫(わ)びの気持ちで助けてあげたい。

「わかりました、やらせてください。それで、どういった内容なんですか？」

ヘカテーさんが足を組み直し、私を見てニヤリと笑った。

「今回の任務は、ここから南にある村付近に最近出没するようになった竜族の調査、および討伐だ」

「討伐……殺しちゃうんですか」

「既に部下の何人かから報告は受けている。このまま放置すれば被害が続き、犠牲が出るかもしれぬので討伐だ。——ここまで言えばわかるな？」

「は、はい……！」

一瞬鋭くなった目つきに押された。口答えしたのが癪に障っただろうか。

黙って聞いていたアルンが一歩前に出る。

「それなら地図などを提供してくれ。その説明だけで南に行ったら、村が見つかるかすらわからないぞ」

「廃れた村だ。一般的な地図にはもう載せていないし、冥界の詳細も書かれている我々の地図は見せられぬ。まずよそ者に用意できる道具などない」

「こちらが善意で仕事を引き受けると言っているのに、なかなか雑な対応じゃないか」

ヘカテーさんとアルンが視線をぶつけて火花を散らす。ここで喧嘩はしないでね……？

「ヘカテー様、この人たちはもう七罪の駒みたいなものなんだから、最低限のアイテムくらい持たせてあげましょうよ～」

火花を無視したガルムが私に何かが描かれた紙をくれた。手書きだろうか、雑に目的地と現在地のわかる地図が描かれていた。でもそれほどわかりにくくはなかったし、むしろこのくらいが緊張感がほぐれて、気持ちのいい絵だった。

「ふふっ、ガルムくんのそういうところは好きです。じゃあ私からもどうぞ。一日はこれでしのげると思います」

私に初めて笑みを見せてくれたオルプネーさんが、小さな四角い携帯食料を何個かくれた。これを普段食べてるのかな……。

「お二人とも、ありがとうございます！」

「地図は得た。私がここで口争いをせずともよくなったな」

アルンが一歩下がって剣を下ろす。私が色々もらってる間に剣を構えてたことは見なかったことにしよう。

「騎士ら、うちの部下にずいぶんと気に入られたようだな」

ヘカテー様はそう言って一度睨(にら)んだが、その後最初の微笑に戻った。

「七罪の駒、か。いいだろう。よそ者と言ったのは取り消そう。我ら七罪の駒の一員として、任務を完遂してみせよ」

「はい！　頑張ります！」

鼻で笑うアルンの代わりに、元気よく返事をした。

【6】赤い空の下で

「南と聞いたが、もしや南西や南南東などではないだろうな。あのヘカテーが正確な方向を言ったとは思えん」

「アルンはさっきからずっとヘカテーさんを疑ってるね……それもそうかもだけど、まず私たちが、ちゃんと真っ直ぐ南に行けてるかどうかも怪しいよ……」

　オルプネーさんが食料をくれたのも納得だ。一日で行ける距離じゃなかった。さらにガルムの地図に距離などは書かれてないし、景色も大して変わってくれないので、途方もない旅になっている。聖域のある山は大地の北にあるようで、その反対側の南は未知の世界だ。見たことのない建物や集落がたまに見えたりはするので、逆戻りはしていないはずだ。

　追いつけなくなってきた私にに気付いたアルンが振り返った。

「レクシア、ふらついてるぞ。ここは一度寝て休んだ方が良いな」

　提案に乗って、近くにあった岩に背を預けて座る。どっと疲れが押し寄せてきて、もう立てそうになかった。

「お前は今日ずっと慣れない大地で戦ったんだ。むしろここまでの道のりで音を上げなかったのが不思議だぞ」

　アルンが隣に座って、剣も岩に立てかける。

「疲れを感じる余裕すらなかっただけだよ」

頭も岩につけて、空を見上げる。暗い空を赤い光が照らしている。時間が経っても全く変わらない空だ。赤い光は空全体にあるため、夜は白の大地より少し明るいかもしれない。

「ここの空、よく見ると綺麗かも」

「私は白の空を知らないが、そちらの方が綺麗と聞いたぞ？」

「こっちはこっちで綺麗ってことだよ」

アルンのように、黒の大地だけで過ごしてきた人もいっぱいいるんだろう。正直、もったいないなと思ってしまう。

「アルンに白の空を見せてあげたいな。あっちでは空が時間によって色を変えて、照らす光も変わるの」

「なるほど。今こうして座っているのは、時間の把握が空でできなかったからだな」

「そうかもしれないね。現に今、夜のいつ頃なのかこの空じゃ全くわからない」

「そういうときは腹で確かめろ。もう寝た方が良い時間だと思うぞ」

「お腹の虫は正確には教えてくれないよ。アルンだけの特技じゃないかな？」

二人で笑う。会話が途切れたところを狙って、眠気が私を襲う。アルンは寝る様子がなく、逆に立ち上がって体をほぐそうとしている。

「アルンは……寝ないの……？」

「家じゃないんだぞ。こんな所で寝るんだ、交代で見張りをして安全を確かめないといけない。お前にも後でやってもらうからな？」

「ん……ありがとう。じゃあ、おやすみ……」

「ああ。おやすみ、レクシア」

少し体を動かして、岩ではなく地面に横になった。確かにここは危険な所、一人だったら毎晩不安だったかもしれない。赤い騎士の尻尾がゆっくり揺れているのを見ていたら、自然と眠りに落ちてしまった。普段あまり尻尾が揺れている感じはしなかったので、この睡眠誘導すら私のためだったとすれば、もう感謝してもしきれない。

「さあ、そろそろ私の剣を離してもらおうか」

「え……？」

気が付くと、目の前にアルンの竜鱗剣があった。私はこれを抱きしめて寝ていたらしい。

「体を冷やさないように剣を少し温めてそばに置いたらこれだ。その後の寝言を全て報告してやろうか？」

「そ、そんなの報告しなくていいよ！　おはよう、えっとごめん。これ返すね――ってこれ重たい！」

「ははは！　それだけ元気になれば十分だな。じゃあ次は私が寝させてもらう。私の寝るお供にはいらんぞ？」

「か、からかわないでよっ！」

「はっはっは！　悪い悪い、では頼んだぞ」

「もうっ……しっかり休んでね」

アルンは岩にもたれるとすぐに寝てしまった。変わらない調子で喋っていたが、きっとかなり疲れていたんだろう。

杖を持って立ち上がり、周囲を見渡す。当然だが、寝る前と景色が変わっていない。剣は私がずっと持っていたようだし、平和だったのだろう。

どのくらい時間が過ぎたろう。周辺に魔物などがいないので、警戒もほとんどいらず暇を感じてきた。アルンはぐっすり眠っている。私も暖めてあげた方がいいかな、と思って魔法を使おうとしたが、アルンから発せられる熱が十分暖かく、不要であることを示していた。流石は火竜だ。

「寝顔、綺麗だな……」

黙っていればただただ美人だ。まあ喋っていてもカッコいいのだが、寝顔だけだと戦いに生きる黒の大地の火竜だなんて思えず、赤い角と尻尾だけが竜の証明になっている。少し触ってみたくなるが我慢だ。

これだけ何もない時間だ。私の寝言を聞いて——本当に何か言っていたらの話だが——剣も取られたとなると、アルンもきっと私の顔見てたよね。と言い訳をして、そのままアルンの顔を座って見つめていた。

そんなことをしていたので、聞こえてくる足音に反応するのが遅れ、気付いて立ち上がったときにはもうその足音はすぐ近くにあった。二足歩行の——竜人だろうか。竜人というには、アルンに比べるとさらに竜族に近い顔や肌をしているが。

「だ、誰？」

「何奴⁉」

声に反応して腰の刀に手を添えた竜人。警戒して私も杖を構える。

攻撃はしてこない。こちらの動きを待っているのだろうか。だがその構え、隙が見えないし、逆にこの距離であろうといつでも私を攻撃できるような気がした。放つ圧に魔力はないが、力は感じる。戦うのは愚策と判断し、警戒させないようにそーっと杖を下ろす。

「戦闘の意思はないです。あなたももしそうなら、構えを解いてもらえませんか？」

「……無礼を詫びよう」

戦闘終了。正確には開始の阻止。私は安堵のため息をついた。

青い鞘の長い刀。青の布と赤い革装備。そしてアルンの鎧よりは薄い赤色の竜鱗の身体。私よりも長い髪を伸ばした竜の頭部と顔。曲げていた膝を伸ばして、つま先立ちのまま歩いてきた高身長の竜人。村で見た人間の男性よりも重くたくましそうな体は、私の存在を小さく見せた。こうしてお互いの姿がよくわかるところまで近づくと、その牙の生えた口が開かれる。

「名は牙刀。白の大地、東の国より修行のためここに参った次第だ」

「えっと、あの……わ、私は……！」

「む、これはまた無礼であった」

上から押されるように膝を曲げて、両手で杖を握って震えそうな私を見て察した牙刀さんは、自ら膝を曲げた状態に戻して身長を合わせてくれた。

「あっ、いえ、私こそすみません……レクシアといいます。私も白の大地の、北の方から修行に来ました」

杖を握るのはやめられなかったが、体勢は戻して話す。

「拙者の他にも白の大地から、しかも東国出身ではない者が一人でいるとは珍しい。何かここに目的があるということか？」

「い、いいえ、今は二人で、もう一人はここで寝ています。最近廃れた村に用事があったんですけど、場所がわからないままここまで……」

「このあたりの廃れた村ならば聞いたことがある。確かあちらの方角、竜に滅ぼされたという話が」

牙刀さんが指さした方向は北、私たちが通ってきた道だ。牙刀さんの方が詳しそうだし、どこかで見逃したのかもしれない。

「拙者の修行は急ぐ旅ではない。道案内くらいならば——スッ！」

ガイィン！

「ほう、素晴らしい反応速度だ。いずれお前とは本気で戦ってみたいな」

「アルン⁉　何してるの⁉」

いつの間に起きていたアルンが側面からの不意打ちを牙刀さんに叩き込んだが、牙刀さんの刀はしなやかな動きで竜鱗剣を受け止めた。アルンはバックステップで距離を取ってから、両手を緩く上げながら戦闘の意思はないと告げて歩いてきた。

「試すようなことをしてすまない、強者の闘気を感じたのでつい血が騒いでしまってな。話はほとんど聞いていた。正直助かるから案内を頼みたい」

こんなことをしておいてよく頼める。

「フッ、拙者も貴殿とはいずれ戦ってみたいものだ。――では旅に同行させてもらおう。貴殿方とともにいると、良い修行になりそうな気がするのだ……」

牙刀さんは刀をあらかじめ決めていたような綺麗な動きで納め、口角を上げた。

「え、もしかして白の大地の人もこんな感じなの……？」

牙刀さんの歩みについていくアルン、その二人の足は速く、困惑する暇も与えらえなかった私は、声をあげながら走って追いついた。


村跡を目指し歩く私と竜人二人の計三人。私のかかとの高い装備。牙刀さんの膝を曲げたままの歩きで、三人の身長はほぼ同じになっていた。

「膝はそのままでいいんですか？」

「拙者は移動や戦闘をする場合、こちらの方が都合がいいのだ。あと、言葉遣いも砕いてもらって構わない」

「そ、そうなんだ。わかった。よろしく、牙刀さん」

「ドラゴロイドの特徴ではなく、本人の技術か。興味深いな」

アルンが顎に手をやって牙刀さんを見た。

「あ、そういえば竜人には二種類あるんだよね。それがえっと、ドラゴロイド？」

私の知識が中途半端なのは、イリオスが、私が幼少期のよく覚えられない時期になんでも教えすぎたというのと、私がちゃんと学べていなかったせいだ。その欠けた部分はこうやって旅で補っていこうと思っている。

「拙者のような竜の頭や足を持つ者をドラゴロイド、そしてアルン殿のように角と尻尾以外人間と同じ者はドラゴニュートと呼ばれているのだ。翼の生えたドラゴニュートもいると聞く」

牙刀さんの回答にアルンがはにかむ。

「実は私は例外にあたるな。元は竜で、つい最近この姿になったんだ」

「そのようなことが可能なのか！」

「アルンは人間に興味があってこうなったらしいけど、竜のときに何か人間に興味が湧く出来事があったの？」

牙刀さんのおかげでタイミングを見つけた。ずっと聞きたかったことだったのでここで聞いてみる。アルンは驚いたようにハッとした後、何かを考えるように目を閉じた。

「まだ話していなかったな。まあ進んで話すつもりはなかったが。――以前の火竜としての私は、あの西の方で住処を守りながら竜族や魔物と戦っていた。その周辺の生物も荒くれ者揃いのエリアでな。人間が近づくことはなかった」

方角を目線で伝えたアルン。牙刀さんがううむと唸る。

「その方角の危険なエリアは有名であるな。邪竜も多く生息しているとか」

アルンは頷き、続ける。

「一般的に魔界と呼ばれているらしいな。――と、まあそんな所で戦っていたある日、一人の人間がこの地を横断するように私の目の前を歩いてな。私はその無視する態度に腹が立って襲いかかろうとしたが、その寸前で奴が立ち止まり、目線だけを私に向けた。私は戦えなかった。奴の放つ闘気は竜の威圧に類似したものを放っていて、その力を恐れた私は下がった。奴は一度も剣を構えることなく、また歩きだしたのだ」

アルンが歯ぎしりをすると、剣が少し燃え、感情をわかりやすく伝えた。

「この剣は皆を守るためにある、ここでお前を斬り捨てる必要はない。なんてことを言われた。私は戦いを求めて叫んだが、奴は私の身を案じたり、殺さなかった場合の私の未来の可能性について語るばかりだった。私は悔しかった。奴の中で私は既に敗北していて、そして私もそれを感じてしまっていたことが……！」

歩く先、はるか遠くに光が見えた。火の光だ。

「だが、悔しさと同時に興味も湧いた。戦いを求めない戦士も初めて見たし、自分と関係ない相手を思う気持ちも初めて知った。少なからず私は殺生をしているというのに、それを気にしないのか許したのか。今思えば、人間に興味を持ったというより、私は奴に憧れてここまで来たのかもしれないし、レクシアとともに行きたかったのは、レクシアに奴と同じものを感じたのかもしれない。竜の力だけでなく、その思考などにもな」

赤竜の騎士は、話は終わりだと言って苦笑した。

「拙者らと同じく、白の大地から来た者の可能性が高い。もし、その者を探したいと思うのならば、白の大地に赴いてみるといいやもしれぬ」

「べ、別に探したいと思ったことはないからなっ？」

焦るように返答するアルン。アルン本人がどう思っているか知らないけれど、私の旅の目的はひとつ増えた。

「私は白の大地を目的地にしてるから、この機会にアルンもついてきてほしいな。人間と交流するなら、あっちの方がやりやすいかもだし」

「……わかった。まあ今後も私はレクシアとともに旅をしたいし、いつかあちらに行くのは一応把握していたが」

「うん、ありがとうアルン」

「人間もそうだが、赤以外の色をした空だな。それがなかなか楽しみだ」

話しているうちに、遠くに見えていた光の場所までたどり着いた。牙刀さんが立ち止まったことにより、道案内をされていた私たち二人も足を止める。

「廃れたと聞いた村はここであるが……」

「なんだか、賑（にぎ）わってるね……」

「どういうことだ、牙刀の情報も間違っているのか。何も信用できないな」

そう言うアルンだが、村で燃える火の光に目を輝かせて、一人で歩きだしてしまった。

「拙者も行こう。謎はこの中で解けるであろう」

牙刀さんも歩きだしたので、私も続く。この村がどうであれ、受けた任務は竜の調査と討伐だし、行く他に選択肢はないので迷いはなかった。

【7】反撃の再興村

村を見てまず驚いたのは、民家がほとんどボロボロに崩れ落ちていることだった。小さい綺麗な家は数軒見えるが、ずいぶんと新しそうで、崩れた家とは造形も違った。村に入ると、炎を中心にして集まって食事をしているたくさんの人間が見えた。服装は質素なものから鎧姿まで様々。

アルンが剣を地に打ち付け、その音で何人かが振り向いた。

「よろしく人間！　私はアルン。訳あってこの村やその周辺のことを調べている。この集団の長などはいないか？　是非とも話などしていきたいのだが」

すると鎧の集団の中でも、特に体の大きな一人の男が立ち上がった。

「ははっ！　ここを調べたがる奴はもう何人か見たから慣れたわぁ！　面白い挨拶だ。ようこそ竜人！　そして後ろの竜人さん！　あと後ろの人間、いや、神族……」

私を見た男の笑顔が固まり、その後ににらみつける表情に変貌した。他の村人も一人また一人と立ち上がって敵対するような視線を私に向けた。圧に押されて一歩引く。

「神族が何故こんな所に。しかもその装備や髪の色、黒の大地の悪神って感じじゃなさそうだ。白の神がわざわざなんの用だ。返答によっては……！」

男はそう言って背中にあった棍棒を構え、こちらに向けてきた。

「貴様こそ説明をしろ。どういうことだ、この対応は」

「黒の魔族とも違う様子。白の神聖種族に恨みを持つ理由は推測できぬ」

アルンと牙刀さんが私を守るように武器を構えた。村人の視線はそれでも私から離れない。

聖域の麓の村とも違う反応だが、怖いことに変わりはなく、むしろ麓の村より怖かった。視線の針が刺さる、刺さる。一歩下がる足の力がなくなり、私は崩れ落ちた。へたりこんで、弱々しく握った杖が傾いて肩にかかる。私が何をしたの。神っていうのはそんなにも怖い種族なの……？

「……！」

口を少し開くが震えていて、声は出ない。しかし立ち向かおうとする気持ちが心の奥底には存在し、涙は流さず、村人を見る目線も逸らさなかった。

「おい、何やってんだお前らっ⁉」

新たな声が聞こえると、村の隅の陰から出てきた豪華な鎧を着た金髪の騎士が、鞘に納められた剣を持って村人に向かって走ってきた。棍棒を構えていた人がそちらを向いて話す。

「王子！　白の神族が調査とか言って村に入ってきやがったんでさ！」

「馬鹿野郎、何度言えばわかる。神族や天使の全員が悪い奴じゃねぇんだよ。今すぐ武器下ろして謝れ！」

「すっ、すみませぇぇん！」

王子と呼ばれた騎士が棍棒使いの頭を叩き、睨んでいた村人が一斉に土下座した。

牙刀さんも構えを解く。アルンは土下座した村人に向かって走り込もうとしたが、思い直したように首を振って下がった。


「俺はローラン。一応こいつらをまとめてる立場だ。つまり失態は俺の責任だ。悪かった」

「いえそんな。気にしないでください。あっ、私はレクシアです」

双方落ち着いてから、お詫びにと食べ物を分けてくれたのでそれらを食べながらの会話となった。肉だけでなく野菜なども豊富で、豪華すぎる朝食になった。

アルンは少し遠くで、棍棒使い――リトル・ジョンさんの頭を片手でぐらぐら揺らしながら、骨付き肉を食べている。

「おいジョン。なんだこの粉のかかった肉は！　今までに食べたことのない美味さだ。どこのどいつを狩ればこれにありつけるんだ⁉」

「あぇっと、その粉は人間が作った、粉末調味料っつう味を追加するアイテムで、動物の肉とは違うものさぁ。肉自体は白の大地によくいるナンディ肉。その様子じゃ野菜とかもあまり食えてないなぁ？　ほれ。これと一緒にそれ食ってみ」

「貴重な植物を食品にする白の豊かさが憎い！　んっ、んんー美味い！　わかったぞ、お前は私の今までの食事を馬鹿にしてるんだな。やっぱり一発殴ってやろうか！」

「頭揺らすなって！　良い顔して食うなぁお前さん。自分の肉も分けてやりたくなるわぁ！」

その様子を見ていた私も、麓の村で少し見たことがあるだけの米を初めて食べながら、ローランさんが質問を投げかける。

「皆さんは白の大地から来たんですか？」

村人の集まりから少し離れているため、緊張はしていなかった。もう相手が一人なら問題ないかもしれない。

「そうだ。ほとんどは俺の国の民。ジョン含め何人かはそれに乗っかったりして付いてきた、天軍の統治を嫌う。廃れた村を発見して、柵とかは残ってたからそのまま使う形で住み着いたんだ」

麓の村の人たちも、こんな集団を発見していたら、黒の大地にも勇気を出して行ったのかもしれない。イリオスの下で生きるのもとても幸せだろうけど、そのどちらにも合流できなかった人は、今でも嫌々統治に従っているんだろうか。

「王子とも呼ばれてましたし、白の大地に国をお持ちで？」

ローランさんが村人改め、国民の方を見た。

「王子って言うなって言ってるんだけどな……俺の国は、最近魔物どもに滅ぼされた。俺は王子の責務として、残った民のために国を再興させなきゃいけねぇ。だがしばらくして、天軍に混じった神族がその土地を奪って、自分の国にしやがったんだ。俺に立ち向かう力はなくて、こうして天軍の監視のない所で再起を図ってるのさ。だがその場所選びも、滅んだ村を取るっていう、天軍と同じことをしたと気付いたときには悔しかった。だがここが最適で他を探すこともできない……」

軽い気持ちで聞いたが、深刻な事情が返ってきてしまった。

「ジョンさんみたいな人たちも助けたんだから、ローランさんはここの村人が戻ってきたら迎えてあげるでしょう？　天軍と同じなんてことはありませんよ」

「……そう、かもな。ありがとう」

牙刀さんがこちらに向かって歩いてきた。米を握った塊、おむすびを持っている。

「あっ、牙刀さん」

私が軽く手を振るとローランさんも牙刀さんを見た。

「話に混ぜさせてもらおう。御免」

「ああ。そういや牙刀って言ったな。東国出身から見て、この米はどうだ？」

「よくできている。このようなものを大量に扱えるとは、ここでどうやって作ったのだ？」

「いや、作ったわけじゃない。今皆が食べているものは大抵、各地を転々とする商会から買ったものだ。金が稼げてきたから、貯蓄も大事だがたまにはこうして騒がないと士気ってもんが下がる」

「ここで金を稼げてるのもすごいですね。どんな仕事をやってるんですか？」

割って入って質問する。ローランさんは村の外にある山を指さした。

「あの山から温泉が湧いてるんだ。何故か臭いから、魔法とかで浄化した後、それを売ってる。この黒の大地だと、お湯ってだけでも量があれば十分な稼ぎになる。温泉として使って大儲けすることも考えたが、臭いのを我慢するのもきついから、今は考えてない」

「なんと、温泉！　浄化後に水浴びができるだけでなく、冷ませば飲料にもなる。黒の大地の革命的山であるな……！」

牙刀さんが仰天する。温泉という言葉は初耳だったが、話の流れから察するに、水浴びのたびに体を震わせなくて済むほどの大量の温水だろう。私も欲しい……！

「あの、それって村の方でも使ってますか？　主に、水浴び目的で」

「勿論使ってる。黒の大地に来て最初に感じたのは、簡単には体が洗えないという不便だったからな」

「あのっ！　良ければ私にも使わせてください！　同じく白の住民なので、今とっても辛いんです！」

心理抵抗なんて忘れて詰め寄る。ローランさんはそんな私に驚いてから苦笑した。

「わかった、自由に使ってくれ。だけど今は山の方に湯があるから、浄化の仕事を手伝ってもらうか、臭いのを我慢することになるけどいいか？」

「お安い御用です！　く、臭いのは嫌だから、仕事を手伝います……」

私が離れると、ローランさんは立ち上がって、剣を担いだ。

「ジョン！　俺たちは寝るから、この人たちに温泉の仕事を手伝わせてやってくれ！」

「了解でさぁ！　おやすみ王子！」

ジョンさんが元気よくこっちに駆けてくる。食事を終えたアルンも、村人に手を振ってからついてきた。もう人間と仲良くなったの……？

「就寝には早い時刻と思われるが、夜に何か予定が？」

牙刀さんも立ち上がり、ローランに問いかける。

「ここ、時間がわからないだろ？　だから人によって感覚がずれて、俺の国民と他の人で寝る時間が変わってたんだ。おかげで仕事は回せるから助かる」

なるほど、道理で豪華な騒ぐ食事が今だったわけだ、彼らにとっては夕食だったんだ。

「自分たちは安定した生活を捨てて、自由を求めて秩序の世界から離れたんだ。寝る時間も自由で良いと思うわぁ」

ジョンさんが小さい棍棒を振りながら笑った。

「レクシア、また仕事を引き受けたのか？　今回は明らかに相手側が悪いのに良い子すぎるぞ」

アルンの発言に私は首を振って返す。

「ううん、今回は私が得をするから受けたの。アルンも少しは水浴びした方がいいよ？」

「私が水浴びをしないみたいな発言だな。この姿になってからは尚更気を付けているぞ」

「作業の方法はジョンに聞いてくれ。じゃあ俺、本気で眠くなってきたから。お疲れ！」

ローランさんはまた隅に消えていった。行くぞよーと歩きだすジョンさん。今度は私がアルンと牙刀さんより先についていった。

「武器や敵意を向けられたのに、よくこんなにすぐ許せるな、レクシアは」

「それが、彼女の美点であろう」

私のことを話していた気がしたが、上手く聞き取れなかったので気にせず歩いた。

【8】温泉での対峙

「相棒にロビン・フッドっていうアーチャーがいてなぁ。ロビンはその正義の心で、自分とともに王子の国を奪った神族の王と戦った。そして惜しくも敗北し、ロビンは自分だけ逃がして捕まっちまったんだ。支援の役目しか果たせない自分一人じゃ助けに行くこともできず、偶然会った王子と一緒に反撃の準備をしてるってわけさぁ」

「それで神族への恨みが人一倍強かったんですね」

「ちょうど合流したのが神族の敵対国の元王子だったのは、不幸中の幸いであったな」

ずっと膝を曲げながら歩く牙刀さんがポジティブな意見を言い、ジョンさんはそうだなぁと笑う。

山登りの道中、お互いのことを話していると、ジョンさんからもここまでの経緯を聞けた。ローランさんの国民と別行動した他の村人たちは、一人一人複雑な事情を持っているのだろう。

「お前は支援をしてるのか。その棍棒は攻撃的に見えるが、その石がメインの役割を果たしているのか？」

アルンが武器観察をして、ジョンさんの棍棒の内部に光る石を発見したようだ。私もそれを聞いて、ようやくそれが力を発していると気付いた。微弱な力だ。

「お、よく気付いたなぁ。そう、これは短い杖みたいなもんで、棍棒としての役割はあくまでついでさぁ。この中に埋め込まれた石がその周辺の環境を一時的に変えて、敵の勢いを削いだり、仲間を癒す天候などを発生させる支援をしてるんさぁ。ロビンと一緒に戦ってたときは、戦場となった森に自分が霧を出して、姿が見えなくなったロビンが敵をひとつまたひとつと射貫いたもんさぁ」

「すごい！　私も一応支援をすることがあるので、その技術の真似できるところは真似したいです！」

私が目を輝かせると、ジョンさんは片目を瞑って得意顔をした。その様子なら少しは教えてくれそうだ。

アルンがその様子を見て何やら不満そうな顔をしていた。

「レクシアは状況に応じてなんでもできるバランスタイプだ。私からは剣を教えられるぞ。ジョン、私のレクシアにあまり鼻の下を伸ばすなよ」

「そ、そんなことしてないでさ！　……私の？　二人はどういう関係なんだぁ？」

慌てるジョンさん。私はアルンに目を向けて回答を待ったが、ジョンさんの真似をするように得意顔をするだけで特に何も言ってくれなかった。ジョンさんの視線が自然とアルンから私に向く。

私に回答権が移ったらしい。

「……アルンと私は……旅の仲間、のつもりだよ」

「ダチ、って感じかぁ？」

「私たちはそこを超えているはずだ。死地を潜り抜けた仲間というのは、友よりも強固なものだと思うぞ」

私の回答を聞いてから会話を再開したアルンの言葉で、あることに気付いた。

「そうだアルン。私たち、もう友達になってたよね……!?」

アルンがきょとんとした顔をして、そして笑った。

「何を今更。私は最初の握手から、お前と友になったと思っていたぞ？」

「やった！　家族はたくさんいたけど友達っていなくて、よくわかってなかったの。ありがとうアルン！　これからもよろしく！」

再びあの最初の感覚とともに、友情を確かめるために両手でアルンの手を握った。自然と私の顔が喜びを伝える。

「あ、ああ……」

困惑しながらも笑みを返してくれるアルン。その横でジョンさんと牙刀さんもつられて笑った。

「レクシアさんよ、自分もそう思ってるでさ。一度笑いあえばみんなダチさぁ」

「拙者も、右に同じく。きっと、難しく考えることはないのだ」

「うん。ありがとう、ジョンさん、牙刀さん！」

お父さん、ちゃんと竜族以外とも仲良くなれたよ。

イリオスの力が宿る杖を体に寄せて報告する。そのような伝達機能はきっとないと思うけど、この感動をいち早く伝えたかった。

山を登りしばらく経ち、話し込んだせいか歩みが遅かったため、お昼時になってしまった。オルプネーさんからもらった食料を四人で分け合って食べてから再始動、ついに目的地に到着した。

「よし着いた。この柵の中に温泉がある。まずはここに置いてある桶っつう道具で、往復して湯をいくらか回収して、浄化作業を始めるさぁ」

「なあジョン、この湯は浄化すれば飲めるか？　あの四角い食料が残った口も浄化したい」

「拙者も、あの固まった土のようなものは少々苦しいものがあった……良薬は口に苦し、ということだろうか……」

アルンと牙刀さんが柵の外側に置いてある木の桶を持って、重さを確認するように動かしながら言った。

あの土の味のする携帯食料は確かにひどい味だったが、量の割に満腹になったりと効果はあった。仕事を行う上で効率的な食べ物なのかもしれないが、精霊族の味覚が他種族と大きく違う可能性を完全には否定できない。

「ちょっとそれはきつい。浄化後は飲めるけど、その浄化にかかる時間で別の水飲み場に行けると思うからなぁ。あと、最初は竜族かドラゴロイド以外は直接触れないくらい熱いから注意してなぁ。じゃ、そろそろ行くで」

ジョンさんが柵の扉を開ける。湯気が見えてきて、温泉が楽しみな私が桶を持って先頭に立った。牙刀さんも同じように隣に立った。イリオスよりわかりやすい表情で、かなり浮き浮きしている様子だ。

湯気を抜けて、熱気の中へ。言われた通り臭い空気を放つ温泉。そこには、先客がいた。

「キェエェ!?」

「無礼を許せ！」

先客の叫びを聞いて牙刀さんがすごい速度で下がったが、私はその竜族の客を凝視した。

子がたくさんと、恐らく親と思われる大きな個体が数体。背中側は赤、腹は白の鱗、前足二本は足としては使わず、湯から出ている。同じくたまに湯から出てくる尻尾の先端は黒いトゲのようなものが生えている。そして親竜の首には石や骨など、様々な物をつけた飾り。

「牙刀、竜族は裸なんぞ見られても気にしないから安心しろ。それともこいつらが竜人の雌だとでも思ったのか？　——どうした、レクシア？」

後ろからアルンの声が聞こえ、私の隣まで歩いてきた。私はその後も後ろから聞こえてくる足音は気にせず、竜を見回し、首の飾りが人間の頭蓋の個体を見つけた。やっぱりそうだ。この客は、聖域に来たあの竜だ。

「グレイル！　あなた、どうしてここに!?」

「こいつらを知ってるんかぁ？　なら安心か……？」

どうやら彼らを初めて見たらしいジョンさんが構えた棍棒を下ろす。頭蓋飾りのグレイルが私に気付いて立ち上がった。

「レクシアのお嬢ちゃんじゃねえか！　あんたこそ何故ここに。ここは黒の大地だぞ？」

「あなたの行動を確認するために来たの。今度はここで何をする気？」

グレイルを見上げてにらみつける私の様子を見た、後ろの三人がそれぞれ武器を構えた。グレイルは両前足と首を横に振った。

「おぉ怖い怖い、別に俺様は何もしてねぇぞ？　仲間やその子供たちが冷えてたから、このオアシスみたいな川をよ、せき止めて風呂にしたのさ。子竜はまだ力を使いこなせてなくてな、呼吸と同時に小規模なブレスが出るのさ。それがこの水を温め、黒の大地にとっての革命を簡単に起こしてしまったってわけ」

「どうやら自分や王子たちが来る前からいたようだなぁ」

と、ジョンさん。

「なら、この村の先住民が滅びた理由も知っていたりするだろうか……？」

と、牙刀さん。

「これは予想だが、グレイルと言ったな、貴様がこの村を滅ぼした張本人だったりしないか？」

と、アルン。グレイルはまた首を振った。

「いいや？　俺様はなんにもしてねぇよ？　なーんにも、ネ」

しかし、今回の首を振る発言は、どうにも胡散臭く聞こえた。

「グレイル、教えて。この周辺に、邪竜……ヴァラーグが来たことはあった？」

私の質問でグレイルは目を細め、歯を覗かせた。

「ああ、ヴァラーグなら来たぜ。ちょうど復活してたんだ。俺様たちの温泉を奪って、村の奴らと遊んで帰っていった。その後も子は冷えてな、オアシスの水が流れてくるのを待っている間、白の大地とかに遊びに行って、体温める道具を探してたんだ。いやぁ大変だったぜ」

「……⁉」

すぐに頭の整理はできなかった。後ろのアルンたちが考察をする声が聞こえる。

「おい待て、ヴァラーグと言ったか？　そいつは私の住んでた、西の荒くれ地域で生まれた邪竜だ。故郷の同族に聞いたことがある。今は誰かに呼ばれるように飛んでいくから、西の地域には姿を見せなくなったと」

「拙者、確信に至れり。それを呼んでいたのは貴殿、グレイル殿だ」

「なるほど。確かに、何もしてないでさ。手は汚してない、って意味でなぁ？」

かつての村人はここの湯を発見し、全て回収して村まで持ち帰った。グレイルの子が意図せず放ったブレスの臭いは浄化されておらず、復活したヴァラーグを呼んでしまう形になり、その村は滅ぼされた。

グレイルはその温泉の素であるオアシスの水が溜まるのを待つ間に、白の大地で生き残るための道具を回収するついでに、聖域のイリオスに嬉々として邪竜復活を報告した。

その後私が冥界から依頼を受け、偶然ここを拠点としたローランさんたちの仕事でここを訪れ、こうして再会を果たした。全て、繋がった。

「村の先住民の仇、自分が取る……！　それにまた同じことを繰り返されて、王子たちを危険に晒すわけにはいかんわぁ！　去れぇい！」

「チイッ！　こん畜生、ハァッ！」

私の脳整理時間を終わらせるように、飛び込んだジョンさんの振り下ろし攻撃をグレイルは前足で弾き、反撃に口から火球を放った。

「ジョン殿！」

牙刀さんがジョンさんの前に立ち、素早く抜刀。火球を刀で斬り、消した。

「俺様のブレスを、物理武器で防いだだとぉ!?」

牙刀さんは抜いた刀をしなやかな動きで鞘に戻し、構えに戻ってからグレイルを細い眼で見据えた。

「竜の刃、伊達ではないぞ」

「調査、および討伐対象の竜族……冥界からの依頼はお前たちのことを指しているんだろうな」

アルンはその戦いを見ながら、静かに呟く。

再び行われたジョンさんの攻撃でグレイルは後退し、温泉に落ちかけたがなんとか耐えた。

「おいおい、だから皆さん怖いって！　俺様自身なんもやってないしヴァラーグ復活も知らなかったし、勿論悪意なんてないんだぜ!?」

他の入浴していたグレイルの仲間たちが立ち上がって戦闘態勢になる。

「俺たちのリーダーに何してくれてんだァァン？　俺ら全員とやり合う覚悟があるのか？」

「キシェエァア！」

両軍は睨み合いになった。一触即発で、激突は時間の問題だ。

私はこの現場をただ見て、考えた。私の、ここですべき行動は——

私は真っ直ぐ、ゆっくり歩きだす。グレイルたちが構える。それに反応するようにジョンさんが棍棒を握り直し、牙刀さん、アルンが警戒を強めた。

睨み合う争いの境界線に向かう。グレイルたちの視線が一斉にこちらを向き、私は以前にも経験した、目に見えない雷の音を感じた。その音はきっと、戦いを生んでしまう。戦場の中心に立ち、止まる。

「みんな、構えを解いて」

「抜かせェッ！」

グレイルの仲間の攻撃――左手を伸ばす！

「トワイライトクロス！」

炎を光に包んで、消去！

「レクシアさんに何をするだぁ！」

ジョンさんの反撃――振り返って杖を握る！

「セルリアンスレイブ！」

丸い棍棒狙って、ヒット！

「キシャァアッ！」

戦いを告げる咆哮と火球――勢い続けて回転斬り払い！

「落ち着いて――落ち着けえぇえっっ！」

火球を刃で斬り、咆哮をかき消すように、私も叫んだ。両手を、両腕を広げる。

「戦う必要なんてない！　ジョンさん、今回も温泉を全部は回収せずにここで浄化するんでしょ。

なら繰り返さない！」

「確かに、そうかもしれんけども……」

「グレイルたちも、リーダーは戦わなくていいってわかってるんだから、従おうよ！」

「お嬢ちゃん……」

「この杖は、皆を守るためにある。無駄に命を削り合うために持ってきたものじゃない」

アルンが剣を肩に担ぎながら、私のもとまで歩いてくる。その目は呆れているように見えたが、口元は確かに笑っていた。

「あの日の人間みたいなことを言うな、レクシア。お前はそこら辺の人間よりも、よっぽど人間らしい。自信を持っていいぞ」

「そ、そうかな……」

「ああそうだ。神族はこんなこと言えるだろうか。最近聞いた話だけなら、言えないんじゃないか？　負い目なんて感じず、人間として生きていいとすら思える」

「……!?」

アルンが私の頭を撫でた後、周囲の皆を見回し、鎧の胸を叩いた。

「響いたよ、ここに。いつしかすっかり丸くなってしまったかのもしれない。私も中立陣営に加勢し、剣を下ろそう」

しばしの静寂。

「お見事。果たして俺様の疑いは晴れたかな？」

リーダーのグレイルが膝を折り、座りこんだことで静寂は破られた。

「相手に戦闘の意思がないのなら、拙者も戦う理由はない」

牙刀さんも構えを解いて、あぐらをかいた。

「リーダーに従うのみよ」

他のグレイルの仲間たちも構えを解き、

「……ごめんなぁ……」

ジョンさんが頭を地に付けた。

「ありがとう、みんな。ありがとう、アルン」

「こちらこそ。私もレクシアのおかげで成長できたと思う」

そう言うアルンに笑いかけ、グレイルを見て、手を伸ばす。

「どうかな。色んな問題はあとで解決するとして、これを機に友好な関係になれないかな」

「へっ、最初から俺様自身は、争う気なんてないんだけどな？」

前足を伸ばしてくる。きっとこれで平和を作れる。

握手のために双方の手が合わさる直前、雷が鳴った。グレイルが反応して動きを止める。私以外にも聞こえたことを証明する動きだ。強く、大きい確かな音が響く。

「だぁあああ!?　シャレになってねぇだろぉ！」

開きっぱなしの柵の外から近づいてくる大声。その声の主、ローランさんが走るその後ろの上空で、紫色の飛竜が雄叫(おたけ)びをあげ、それに合わせて黒い雷が走った。その姿から感じる波動は、まさしく、邪竜と呼ぶに相応しいものであった。

【9】渦巻く死地

「あーあ、今回はこっちに来ちまった。さあカワイ子ちゃんたち、どうする？　逃げる準備でもするか？」

グレイルが仲間に声をかけた。

紫の竜から距離はあるが、それでもピリピリと静電気のようなものを感じる。他の皆も感じているのか、少し怯んでいた。

「雷撃の瘴気を身に纏いし、邪竜……」

アルンが空を見上げて呟く。雷の瘴気、雷瘴。雷瘴の邪竜。

「――ヴァラーグ！」

杖を構えた私の声で、牙刀さんやジョンさんも武器を邪竜に向ける。

「グゥァアアアッ！」

ヴァラーグは体を畳み、走るローランさんを狙って急降下した。定期的に振り返って竜の姿を確認していたローランさんは、それを察して前方ジャンプでかわす。しかしその急降下激突の威力で崩れた岩が、風圧と雷とともに周囲に放たれる。

「おわぁぁあああぁ！」

ジャンプ中の空中で吹っ飛んだローランさんは、温泉の柵のそばで落ちた。

「王子！」

ジョンさんがローランさんに駆け寄り、立ち上がるのを補助する。

「ああ、助かった。一体なんなんだコイツは。ずっと追いかけてきやがって！」

「王子はきっと逃げる方向を間違えたさぁ。あの竜はきっと、ここを狙って飛んできたんだ」

「どういうことだ!?」

グレイル以外の私たちもローランさんのもとへ向かった。ここは私から説明する。

「温泉の臭いはグレイルという竜の仕業でした。そしてその臭いにつられてやってくるのがあの雷の邪竜、ヴァラーグです」

「恐らく村を一度滅ぼしたのも奴だ。二度目の襲来、今度は私たちが防がないとな」

アルンが補足説明すると再び静電気が走った。地面を削ったヴァラーグが、残った岩の上で器用に立っていた。四足歩行型の飛竜、その前足の三本の爪は口ほどの大きさがあり、引っかかれたら肉が裂かれてしまいそうだ。その足によって支えられた体高は、二足歩行のグレイルと同じくらいの高身長。翼が六枚あるように見えたが、体から生えているのは二本で、膜が片方に三つずつあるようだ。

ヴァラーグの四本の紫色の角が赤く発光し始め、口を開くとその中も発光した。

「伏せろっ！」

ローランさんの叫びに素早く反応し全員しゃがむ。ヴァラーグの口から放たれた黒い雷が頭上を通過し、後ろの温泉の柵を入口から奥まで破壊した。

「クッソォッ！」

「ギエェェェ！」

グレイルたちの巨体が数メートル飛ばされ、温泉の湯が空に舞った。

空に突如暗い青の闇が現れた。闇は私の黄昏の光のように湯をその中に吸収し、消えた。

「なんだ今の闇は。ヴァラーグの力か？」

アルンがすっと立ち上がり、温泉の消えた場所を見て言う。

「グェア！」

「ハッ！　いいぞ来い！」

ヴァラーグが低空飛行で突進してくるのを、アルンは竜鱗剣で迎え撃った。鉤爪と剣が大きな音を出してぶつかる。

「皆、離れていろ！」

警告に従ってしゃがんでいた体を投げ出して転がり、立ち上がる。他の皆もそれぞれの方法で回避すると、爪から放電された黒い光と燃える竜鱗の赤い光が、打ち消し合わずに混ざって広がった。音と地鳴りは感じるが、その姿は見えない。

「クッ！　なんたる、威力！」

牙刀さんがこちらに流れてくる雷や炎を刀で弾いた。

ジョンさんがあたふたしながら、ローランさんの鞘から抜かれた剣を見る。

「そ、そうだ。英霊は、英霊は使えないんですかい、王子！」

「王子じゃねぇ！　情けないことだが、この剣の英霊はまだ俺を王とは認めてねぇみたいだ」

ローランさんはその光る剣を握り、悔しそうに言った。

光が黒く染まり爆発を起こした。足元に雷が流れたのか、痺(しび)れて体勢が不安定になった。

「ぐぁぁあっ!?」

爆発が終わり、消えていく光の中から赤い騎士が投げ出された。

「アルン！」

ちょうど飛ばされてきた位置に私がいたので、そのまま抱きしめるように受け止める。吹っ飛んだアルンの勢いは強く、倒されそうになるが、足に力を入れ、体重を前に傾けてなんとか耐える。

受け止めたアルンの背中から雷が通電して、全身を巡った。

「きゃあーーっっ!?」

一瞬意識が遠くの視界に、ヴァラーグから私たちを守るように前に出た、ローランさんたちの姿が見えた。

顎をアルンの鎧の肩部分にぶつけ、痛みで意識を取り戻す。目だけを右に向けると、目を閉じたアルンの顔があった。

「アルン。アルン……大丈夫？」

呼びかけるとその目はゆっくりと開かれた。

「あ、ああ……だいじょ、ゲホッゲホッ！」

アルンが咳き込んで、私の身体が揺れた。

「お前こそ大丈夫か？」

「大丈夫。さっきアルンが動いたときに、体も目覚めたみたい」

その証明と確認に、アルンの前にあった自分の両手を動かして、装備の砕けた部分に触れ、傷がないか確かめた。大丈夫そうだ。

「悪いが私はしばらく動けそうにない。あの竜、筋力もそうだが異能が強い。至近距離で打ち合うと、瘴気が体を蝕んできて長くはもたない。同じ戦術の奴に負けたようで悔しいな」

「突進する邪竜と、一対一で互角に張り合っただけですごいと思うよ」

「あれは……！　皆、見よ！　先ほどの闇だ！」

牙刀さんが叫ぶのが聞こえた。

遠くに見える村の、少し離れた山の上。再出現した闇が、先ほど吸収した湯を吐き出していた。その下は坂のため、湯は急流の川のように村に迫っていった。理屈はわからないが、温泉は移動させられたのだ。

「グゥウァ、ディアェァ！」

ヴァラーグが方向転換、その湯を目指し飛び立った。

「まずい、これじゃ繰り返すことになる！」

ジョンさんが真っ先に、坂を滑るように村へ走った。

「この距離は、普通に走っても間に合わぬぞ！」

牙刀さんの発言で、ジョンさんに続こうとしたローランさんの足が止まる。

「確かにそうかもしれねぇ。ならどうやって！　空飛んだりしない限り追いつけねぇ——そうだ、さっき温泉に飛竜がいたな⁉」

ローランさんは湯のなくなった温泉に駆け込み、今まさに飛び立とうとしていたグレイルに向かって叫んだ。

「おいお前ら、被害者同士協力しないか⁉　俺たちをあの村まで運べ！　そしたらヴァラーグは俺たちが退治してやる！」

グレイルの飛行が止まった。

「なんだ金剣の金髪さんよ。俺様たちが生活するのにあの邪竜は必要だ。村の奴らが俺様に食料をくれたことなんかないからな、こうして回収するしかねぇ」

「食料か、なら簡単！　新しくこの村に住み着いた俺の国は平等を掲げてるんだ。あの邪竜を退治できた暁には、食料をお前らにも分けてやると誓おう！　定期的、永久にだ！」

「永久……だと⁉」

グレイルがローランさんを前足で摑んで、私たちのそばで着地した。

「それは愉快！　なかなか良い提案だ。乗ろうじゃないか！　いちいち住処変えないと雷に潰される日々は正直面倒だからな！　さあ、背中乗るか足摑むか選びな！」

「俺は手摑(てづか)みで決まってるのかよ！」

「拙者は背中を選ぼう。二人はどうする？　席選びより先に、その体で行くか、行かぬか」

牙刀さんは手を伸ばしてくる。アルンがそれを見て笑った。

「口ではそう言うが、私の意思はもうわかってるじゃないか」

「アルン、動ける？」

「到着までには叩き起こすさ」

私がアルンを抱えながら牙刀さんの手を取り、背中を選択して登る。牙刀さんも手伝ってくれたので早く準備できた。イリオスと違い背中に毛は生えていないからゴツゴツするし、サイズが乗るには窮屈だったが、そんな文句を冗談として言ったら振り落とされそうだ。

「よし、いいよグレイル。出発！」

「よっしゃ！　どう飛べば荷物落とさないかなんて知らないから勘弁な！」

グレイルはそう言いつつも、イリオスの真似をするような軌道で飛んでくれたので、大して危険でもなかった。

ヴァラーグは既に川の流れを追っていた。湯の川が流れる山を見ると、その周辺の木々が所々白くなっていた。

「あれは山を下りながら発動させたんだろう。ジョンの環境変化だ。湯を冷やす、理想は凍らせるために気温を下げて雪でも降らせたんだろうが、まるで効いてないな、あの温泉」

ローランさんの声が聞こえた。見ると腕に摑まれて揺らされていた。グレイル、なんでそっちは揺らしているの？

「ん？　レクシアのお嬢ちゃんも揺らされたいのかい？　パパの揺り籠再現はお気に召さないか」

「私何も言ってないよ！　……言ってないよね？」

なんて喋っているうちに、村の真上に到着した。グレイルが体勢はそのままに下降を始めた。牙刀さんが体を傾けて頭を下にして落ちた。

「先陣を切る！」

「牙刀さん⁉」

牙刀さんは両足で着地し、両膝と右手を突くことで衝撃を和らげた。そして流れる湯の方角に走っていった。グレイルの高度が下がっているので、私たちも直接行かないと湯の様子は見えない。

「よし、この高さなら私でも！　グレイル、ありがとう！」

「交換条件のためだ、礼とかはいらねぇよ」

地面に着くまで乗っていくつもりでいたが、牙刀さんに続こうとする気持ちで飛び降りた。民家の屋根より高い位置だが、何度もイリオスの背中から飛び降りてきたので問題ない。両足で着地、左手と左膝で衝撃を和らげ、遠くの牙刀さんを発見したが――

「ぬぅん⁉」

もう湯はここまで迫っていた。牙刀さんはドラゴロイドの頑丈な体を活かして、川を正面から受け止め、勢いを削いでいた。村に入ってきた湯はゆっくり流れてきたが、牙刀さんが先行しなかったら、きっといくつかの民家が破壊されていたと思われる。

「おい、また空に闇が浮かんでるぞ！」

後ろから声が聞こえたので振り返ると、着陸したグレイルに手を離されたローランさんが空を見ていた。同じように空を見やると、その闇の中から下方向に椅子と人の足が出現、そのまま闇から全体が見えてくる。

「ヘカテー！」

どうやら動けるようになったらしいアルンがグレイルから降りて叫ぶ。呼ばれた魔族が頬杖(ほおづえ)をついて見下ろしてくる。

「仕事は進んでいないようだな騎士ども。私よりも竜を確認したらどうだ？」

言われた通りグレイル――ではなくヴァラーグを見る。もう村に到着していて、牙刀さんと戦っていた。力のぶつけ合いは不利と踏んだ牙刀さんは、逃げながら雷だけを刀で斬り、隙を窺っている。

「デアアアアア！」

だが隙を見せるどころか地上に降りてもくれないヴァラーグは、広範囲に放電攻撃をしかける。

「あああぁぁぁあ！」

「ぎゃあああぁ！」

直接命中する場合もあれば、村にある湯に電気が通電してそれに触れてしまったり、様々な要因で村人が被害を受けたようだ。そこかしこから叫び声が聞こえる。

これが、私の敵だ。探していた敵だ。でも過去の被害のことを考えたことはなかった。

こんな叫びが聞こえる世界を生む竜だと考えてなかった。怖い。怖い。

「お前ら、俺らが敵を引き付けるからどっかに逃げろ！」

「だめだローランさん、なんでか村の外に出られねえ！」

村人が何もない場所にぶつかって弾き飛ばされた。その瞬間、暗く青い闇の色が空中に浮かんだ。

「チッ、ひでえなこりゃ、空もだめだ！」

グレイルが空間に発生した天井を前足で押し込みながら嘆く。

「どういうことになってるだぁ！　……え、なんでみんな自分を見るだぁ？」

遅れて駆けつけたジョンさんはその闇の壁を貫通してこの村に入ってきた。そしてそれを見た村人がもう一度脱出を試みるが、失敗。

「ローラン、そしてその国民たち。貴様らには冥界に敵対する天軍勢力の疑いがかけられている。その壁は私の作り出した結界、檻だ」

「ヘカテーさん、まさか温泉をここに移したのも……!?」

ヘカテーさんは私を見て笑った。

「レクシアと言ったな。貴様も素性の知れない神族ゆえに、私は疑いを持っている。そのため同行している連れ、そしてローランの国民を竜に始末してもらおうと思ったのだ」

「そんな……！」

私にこの依頼を持ちかけたのは、国民と同時に私を始末するだけのためだった……？　だとしたらアルンや牙刀さんは……

「疑いだけで即排除とは、なんとも過激な思考だな。ヘカテー？」

アルンの言葉を、ヘカテーさんは全く表情を変えずに聞いていた。

「もし違ったとしても、冥界に属させるために、この襲撃は行っていただろう。この黒の大地で民を束ねるためには、力の誇示は不可欠だからな。——まあ、ここに実在していたとは思ってもなかった邪竜を使ったのは、あくまで神に対抗する策。本当の襲撃兵は今から登場だ。良い悲鳴を期待しているぞ」

ヘカテーさんは手に持っていた大きな鍵を宙に浮かせ、椅子の背もたれにある鍵穴に差し込んで回した。すると背もたれは扉として左右に開き、その中から薄い青色の犬が三匹飛び出してきた。人間を丸ごと食べられそうな大きさの口が開き、牙を覗かせる。

「さあ冥犬たち、餌の時間だよ♪」

冥犬は村人に向かって走り出そうとして、ローランさんに止められる。しかし他二匹を止められず、村人はその爪で引っかかれて怪我をしてしまう。ジョンさんがもう一匹を防ぎにかかったが、まだ一匹が暴れていて、その一匹を止めようとアルンが走り出す。

「グァアアアア!」

ヴァラーグの放電が再び発生し、牙刀さんが防ぎきれなかった雷がみんなを襲う。私は防御魔法を数人にしか使えず、アルンは回避に専念することになったため冥犬を防げず、被害は増すばかりだった。

私がここにいなかったら、冥犬だけで済んで邪竜は来なかった。こんな被害は生まなかった……私が、冥界に敵対する白の神だったから……!

「ごめんなさい……ごめんなさい……！」

一度目を閉じてしまうと、村人の悲鳴や邪竜の咆哮で感覚が埋め尽くされる。震える体と声で、周りの声に反応するように声を出し続ける。ヘカテーさんに許しを乞うように、村人やアルンたちに謝るように、自分自身を責めるように。

「レクシア!?」

耳に響く邪竜の咆哮を叩くように吹っ飛ばした声が脳を巡り、私は溜まりかけた涙を弾くように目を開いた。

目の前にいたアルンが私の肩を揺らす。

「落ち着けレクシア。冷静になれ、自分を責めるな。その時間が欲しいなら後に回せ。その杖は今そうやって突っ立ってるためにあるわけじゃないだろう！」

目が覚めたことで遠くの牙刀さんの声も聞こえてきた。

「然り！　レクシア殿、自分を人間ではなく、神族であると考えるならば、ここで皆の希望に成らずしてどうするというのだ！」

周囲を見回す。世界が再び鮮明に見え、冥犬と戦っているローランさんの声が聞こえる。

「そうだ、ここの奴らに見せてやってくれよ。神族はもっと良い奴で、すごい奴なんだってことをよ！」

私は強く杖を握った。イリオスの教えを活かせてなかった。今こそ冷静に、逆転をしなきゃいけない。

「……ありがとうみんな。私も、頑張るよ！」

「よし、じゃあここから、反撃開始だ！」

アルンが最後に肩を叩き、敵に向かって走っていった。

考えよう、ここの皆を守る方法を。防御魔法は毎回全員に張れない。ヘカテーさんの障壁を破るのが現状打破に必須であり、近道だろう。けどどうやって。この村の全体、その全てを変える力なんて……

「闇には光さぁ！　神には簡単なことさぁ！　もしだめなら自分の技を真似てみ、力ぶつけなくても、環境だけ変えれば解決するかもしれないださ！」

ジョンさんが棍棒を振りながら言う。

事象顕現なら……でも環境を変えるほどの事象顕現となると、自分が神として司るものをしっかり理解しなければならない。

「私の司るもの、知っているものって……」

「あんたが一番知ってるはずさ！」

グレイルが空から降ってきた。外に出るためには私の力を借りた方が良い、なんて考えてそうだ。

「見てないから知らんけど、イリオスといるときには使えたんだろ？　神の記憶がないのに事象顕現が使えてる現状がおかしいと思わないか？　きっともう教えてもらってるのさ、土地の神として君臨するアイツによ」

グレイルに気付かされ、最初の最初から日々を回想した。あの日、あのとき、イリオスが私にくれたもの。子竜たちとの生活で注いでくれたもの。

「セレスティアルレイン！」

舞う薔薇の花。初めて使えた事象顕現、セレスティアルの花から感じるそれは――

「愛情……愛……！」

「ヒュゥ、いいモンもってんじゃねえか、羨ましい。どうやらこの村が招いた神は、大当たりだったご様子で」

トゲが降らなかったグレイルだが、私の力を感じて数歩離れた。みんなを守る。この人たちを私が守る。私たちを守ってくれて、私に光をくれたイリオスのように。

「逆境の中でこそ、勝利の光は強く輝く。この闇の中だからこそ眩(まばゆ)い、私の光！」

ついに脳に流れ込んだ、私の最後の事象顕現。教えてもらった司るものを、みんなにも届けよう。少し恥ずかしいけど、これが神の役割なんだ。

「この村に愛を！　シャイニングスピカ！」

杖を天に向けて力を放つ。透明な闇の壁を貫いて、赤い空の中に、ひとつの大きな星を作った。その光は村を照らし、闇の障壁を消し去り、人々に希望を与えた。

「何っ、神の力、これほどとは……！」

ヘカテーさんが空を見てうろたえて、思わず下を向いた。動きがよくなって攻撃を回避する村人たちの姿を見て、きっと驚いているだろう顔をした。

「よっしゃ。助かるぜ、お嬢ちゃん。俺様は落ち着くまで避難するぜ！　あばよ！」

グレイルがさっさと飛び去って行った。全くもう、あの竜は。

「好機！　拙者は邪竜を村から離すゆえ、突破をさせてもらう！」

牙刀さんが走って村から出ると、ヴァラーグもそれを追いかけた。湯を全て受けた牙刀さんは、戦いの臭いを放っているのだろう。ヘカテーさんが牙刀さんに闇の魔法を放ったが、その俊足で回避した。

「念のためこの村の臭いは消すださ！　ヒーリングクラブ！」

ジョンさんが棍棒を光らせると、悪臭が綺麗になくなり、ヴァラーグの進行は完全に牙刀さん狙いになった。

「確かに民をぞろぞろ移動させるより、この方が安全か……すまない牙刀、頼んだぜ！」

ローランさんが牙刀さんにそう言ったことにより、作戦は流れで決定した。ならこの冥犬を片付けて、早く牙刀さんを助けに行こう！

「最初はこの三匹の犬っころで襲う気だったのか、ヘカテー。ガルムの幻狼より強いが、数も有限。見積もりが甘かったと教えてやるぞ！」

アルンが炎の剣で冥犬を攻撃、焼けて悶える姿にさらなる追撃を叩き込んだ。

「俺一人でも勝てそうなくらいだ！　ロードオブルーン！」

光を受けて動きが良くなったローランさんも、冥犬を圧倒していた。

「負けてられないださ！　アタッククラブ！」

ジョンさんに棍棒でぶたれた三体目の冥犬は大きく怯んだが、倒すには至らない。

「支援します！　コンボ、カウントヒット！」

私が杖を向けると、光のつぶてが冥犬に向かって飛び、ぶつかった。さらに怯んだところに、ジョンさんが再び棍棒を構える。

「カウント重ねるで！　ヘビィハンマー！」

頭を殴られて吹っ飛んだ冥犬に、追加で放たれた光のつぶてがトドメを刺した。冥犬は姿が徐々に薄くなって消えた。やはりガルムの狼と同じく、幻の存在のようだ。――良かった。

殲滅（せんめつ）を確認し、ヘカテーを強い視線で見た。もう迷わない。大切なものを守るためなら、私も戦うし、相手が幻影存在ならトドメだって刺すんだ。

「ヘカテー。私たちの勝ち、逆転だよ。反省して帰ってくれるなら、少なくとも私だけは許してあげるけど」

敬語の抜けた私の発言に、ヘカテーはただ、いつもの微笑を浮かべた。

「見積もりが甘いなんてことはない。まだ貴様らの勝利は決まっていない！　こういうときのために、最終手段くらい残しておくものだ」

「最終手段……だと⁉」

アルンが驚いたときには既に、ヘカテーの扉の鍵は開けられていた。その椅子は背もたれの扉だけ大きく広がり、中から鉄の塊を出した。

「そうだ、そこの竜人。貴様らはいい実験台になってくれそうだ――オリュンポスの駆動神器、キュクロプス。その性能の実験台に！」

鉄の巨体が地に降り立ち、地を震わせた。

「マスター、ノ、オーダーニ、ヨリ――全テ、ヲ、破壊、スル！」

【10】それを持つ者は

『反応がありました。ヘカテー様、それはまだ調査中で、軽い気持ちで動かしていいものではありません！　一体そこで何をしているんですか!?』

開いた扉からオルプネーさんの声が聞こえた。しかしこちらの様子は見られないらしい。

「私の可愛い冥犬たちを倒したという明確な反逆行為を、七罪の駒たる騎士どもが行ったのだ。その進行途中の調査、ここで行わせてもらうぞ、オルプネー」

『七罪の駒、騎士って……！　まさかヘカテー様、その方々は――』

バタン。

「後でいくらでも報告するとも。真実を言うとは限らんが」

扉を閉め、椅子のサイズを元に戻したヘカテーは、もう聞こえてないであろう、閉まった扉に向かって声をかけた。

「目標、上空ニ確認」

キュクロプスが振り返ってヘカテーを見て、その重そうな右手を向けた。

「躾(しつけ)がなっていないな。ディメント・コネクト」

ヘカテーの放った黒い光がキュクロプスを包み、その巨体を再び私たちの方へ向けた。

「オーダー、変更。マスターヲ除ク、生命体ノ、排除」

「この神器はオリュンポス、つまり敵国の、動く仕組みすら不明な兵器だ。しかし意思を持っていたため一時的な操作が利く。よって永続的な洗脳で味方につけ、この神器の謎を解明することを最終目標に、この大地で性能テストをしていた。周辺の魔物がかなり減ってしまったが——まあ、従っていれば生かすつもりもあったのだから歯向かう奴らが悪い」

ヘカテーが丁寧に解説する。

「なるほど。道理で村に向かう旅の道中、魔物に遭遇しなかったわけだ。とんでもないことをやってくれたな、ヘカテー」

そう言うアルンが剣を燃やす。本来は頻繁に遭遇するはずだったのだろう。

「そういうことだ。平和な旅だっただろう。貴様も感謝すると良い」

ヘカテーは私にも微笑を向けて話した。この人、心を痛めないどころか、むしろこの状況を楽しんでいる顔をしている。

「ひどい……自分の意思に反したことをやらせて、無意味にたくさんの命を奪って……！」

「私が憎いか。私が異常と思うか。ならば教えてやろう。私は主様のために、冷静に思慮した上でこの方針を決めた。私だけがそうなのではない。これが冥界のやり方だ」

「いや、どうだろうな。さっき聞こえた声は、こんなことを想定してないように聞こえたぞ」

村人を遠くへ離したローランさんが言う。ジョンさんも続いて歩いてきた。

「そう、正義は自分たちにある。こんな部下に好き勝手させる主とやらも、問題アリの悪だと思うがなぁ」

「主様を侮辱するのは許さない！　おしゃべりは終わりだ。行け、キュクロプス！　七罪の駒として働け！」

「コレヨリ、排除ヲ、開始、スル！　システム・オメガ、起動！」

キュクロプスが肩に付いていた翼のようなものを広げた。竜ならば膜だったり羽だったりするところが、あの神器は刃でできていた。

ヘカテーがキュクロプスから距離を取り、村の外まで移動した。それを見た私たちは危険を察して各々備えた。初級魔法を使える私とジョンさんが光の障壁を全員に張る。

キュクロプスの翼の刃から熱を感じた。その瞬間、刃から雷のような電撃が地に走った。キュクロプスが降り立ったことにより崩れていた地面の土や石が、一瞬で吹き飛んだ。

その熱のエネルギーが広がるかのように、キュクロプスの周りの吹き飛ぶ石の範囲がすごい勢いで広がる。石によって視認可能となったその不可視のエネルギーは、翼が熱を持ってから一秒足らずでこちらまで届き——

世界が変わった。音がなくなって景色も変わった。

痛い。痛みを感じて状況を再認識する。世界は変わっていない、ここは村だ。その上空に私がいて、私が維持していたスピカの光が突然消えたことで一瞬暗くなったのだろう。私と一緒に飛ばされた石が見える。落下する感覚。石より先に私は落ちる。

「――ぁ!?」

横向きに着地。大量の石が落ちる。目が慣れて、赤く薄暗い世界が戻ってくる。

痛みに耐え、杖を支えにする。足場が悪くなっていて何度も杖をずらしかけたが、なんとか立ち上がる。

耳の感覚が戻ってきていて、ヘカテーの笑い声が少しずつ大きくなる。

「――ぁははは！　素晴らしい性能だ。最初からこれを使えばよかっただけの話かもしれないが、そうすると服従させることもできぬか……」

「システム・オメガ、ノ、クールダウン、ヲ、開始。目標ノ、生存、確認。排除、ヲ、続行、スル」

「何、生存だと!?　なるほど、流石に相手の状態がダブルシールドだと倒しきれないか……」

杖を支えにしながら周囲を見回す。翼をゆっくり閉じるキュクロプス。崩れた地面。瓦礫(がれき)とともに倒れているアルンたち。

「アルン！　ローランさん、みんな……！」

「れ、レクシア……」

「アルン！」

みんな微弱だが立ち上がろうと震えている。なんとか生きているようだ。

杖を第三の足にして駆け寄り、アルンの近くでつまずく。

「ねえ、大丈夫——じゃないよね……私が今から、みんな、助ける、から——」

アルンは睨むように目を向け、体を震わせている。

「私は、いい……それよりまず、奴を——レクシア、危ない——！」

赤い光すら見えなくなる大きな影が私を覆った。上を見るとキュクロプスの鉄の巨体。

「行動可能ナ、目標ヲ、優先、スル」

私の身長と同じくらいの大きさのキュクロプスの手が、私を狙って突きだされた。

「きゃあぁっ！」

反射的に転がって回避しようとしたが、狙いを外した鉄の手が地面を砕き、その衝撃で飛ばされて荒れた地を転がった。

「がはっ、ぁ……痛、い……っ！」

「何故あの神族、レクシアだけはあそこまで被害が少なかった？ 神族の身体の耐久性は竜族に大きく劣るはずなのに……その傷ひとつない頑強な鎧や杖などの装備、それが身を守ったと考えるのが妥当か……」

ぶつぶつと独り言を言うヘカテー。その声を所々かき消すキュクロプスの足音。私は聞くだけで動けない。

「くそがぁぁぁああ！」

突如聞こえた叫び。グレイルが上空からキュクロプスに突進し、その動きを止めた。

「新タナ、敵ヲ、確認。排除、開始」

「嬢ちゃん動け！　時間は稼ぐ。動けるようになったら逃げてくれ！　そしたら俺様が聖域にでも連れてく！」

「グレイル……！」

「ハァ！　やっとあんたらみたいに名前を決めたぜ。飛竜炎弾！　――勘違いするなよ。これは別にお嬢ちゃんのためじゃなくて、痛ってぇえ！」

「貴様は実験対象外だ。去れ」

「邪魔するなババァ！」

グレイルの攻撃はほとんど通っていない。多分、元からそんなに戦える竜ではないはず。なのに私を守るために再び来てくれたのだ。この時間を無駄にはできない。

「飛翔空撃ぃ！」

「やかましい。ブラック・ドグマ」

「うぶっ……!?」

ヘカテーの放った光がグレイルの動きを鈍らせる。ごめんグレイル、もう少し頑張って……！

「――ヒール……ヒール……ヒール！　よし！」

回復魔法を重ねてかけてなんとか動けるようになったが、流石に初級魔法では、全快はできなかった。立ち上がってキュクロプスを見据え、一歩、また一歩進む。セルリアンスレイブなどの竜の力を使う際、毎回力を貸してくれる光る羽を改めて左手に構え、今回もよろしく、なんて心の中で言ってみる。

「ありがとうグレイル。もう大丈夫」

「お嬢ちゃん、逃げる方向なら逆だろ⁉　頭打って方向感覚が死んだか？」

「ここには友達が、家族みたいな存在がいるの。家族のために、私は退かない」

「へっ、これだからイリオスの育て方には納得できねえ。――やるなら死ぬなよ！」

グレイルはそう言ってまた飛び去った。ヘカテーやキュクロプスの攻撃が飛んで行ったが、なんとか回避できたようだ。

「私一人でも――いや、このみんなの力で！」

セレスティアルレインを降らせる。それは羽と同時に舞う。神の力と竜の力が同時に強化されるが、恐らくこれでは足りない。さっき村に光を発生させたように、完全に力を使いこなすことが必要だ。

修練度はともかく、神の力はきっとこれで全て習得したのだろう。なら次は竜の力を完全に引き出す。

今ならできるという確信があった。いや、きっと前からできたものが、できると気付くのに時間がかかったのかもしれない。

賢蒼竜の力を羽から感じて、全てを理解するように気持ちをこめる。力をくれたイリオスに、その力の根本的な使い方を教えてもらうように、羽の力を心で聞く。脳に響く答えはなかったが、羽の輝きは強まっていた。自分だけでやってみろ、ってことなんだろう。

「みんなを守るための戦い。私一人のために戦ってもきっとこの力は使えなかったんだ。イリオス自身が、そうだったから」

「臨時目標、撤退。目標、変更。再度、排除、開始」

キュクロプスが歩く。地が揺れて、アルンたちがその振動だけで苦しんでいた。私が助けなきゃ――!

「止まって!」

突きだした杖の石から、強く輝きすぎて白にすら見える蒼い光が放たれ、キュクロプスの足に当たる。

「ンァアア!?」

体勢を崩し、後退するキュクロプス。鉄の身体でも、どうにかダメージは与えられたようだ。

それより今の魔法は初めての魔法だった。初級魔法に該当しないとなると、上位魔法の可能性を考えるのが普通だが、これはイリオスの力だ。私はちゃんと使えたのだ。引き継ぐだけでなく、自分自身の力として。

視界が少し青くなった。私の周りを巡る幻影の羽たちの輝きが強まり、その中の空間が蒼く光っているのだ。力がみなぎるのを感じる。これが蒼竜の本来の力だ。

「レクシア、その姿は……」

アルンやヘカテー、みんなが私を見て驚いている。光だけじゃない。頭の羽も強く光っている。力の影響か髪がなびいていて、視界に入ったことで気付く。角や、それを刺した髪も先だけ金色になっていた。角は黒だが、髪は元が茶髪なので途中で変色していても違和感は少ない。むしろ好きだ。イリオスはまた私に贈り物をくれた。

もう負ける気がしない。険しい表情を解いて相手を見る。視界が上にずれた。羽の力が私の身体を少し浮かせていた。

「行くよ、ヘカテー。これ以上何もさせない。もう一度、逆転だよ！」

「うるさい、うるさい！　貴様のような神はこの大地には不要、ここで死ねっ！　ブラック・ドグマ！」

焦るように放たれたヘカテーの光を、私は冷静にトワイライトクロスで打ち消した。

「出力、上昇！　コード・イプシロン、起動」

キュクロプスが手を突きだし、そこから炎が燃え始める。未知の技は危ない。杖を突きだして、もう一度あの魔法を、今度は最高出力で！

「させない――セルリアンルーセント！」

蒼の光がキュクロプスの中心を突き抜けていく。その体の胸元にある、弱点のような目玉が壊れた。

「損傷……甚大……！」

流石に相手は神器なので壊しきれなかったようだが、キュクロプスの動きは止まった。同時に私の視界も戻り、浮遊感が消えたので足場を見て着地する。

「ああ……冥犬のみならず神器までも！　どうしたキュクロプス、どこを直せば動く……？」

ヘカテーがこちらに構わずキュクロプスの体を確認しに高度を下げてきた。ヘカテーの動きもここで止めようかと思っていると、その魔族は私が何もしなくても吹き飛ばされ、ついに地に体をつけた。キュクロプスが突然水蒸気のようなものを噴出したのだ。

「エラー……再起動。機体魔力循環、正常。活動ヲ再開、スル」

まだ戦うの!?　と思い身構えたが、その機体——初めて聞いた単語だ——は私に背を向けた。

「長期間ノ、クラッキングヲ、確認。脅威ト判断。最優先デ、拠点、ヲ、破壊スル！」

その短い足の裏から炎を噴射し、その勢いで飛んだ。中心の目玉を破壊したことで、洗脳が解けたようだ。

ヘカテーがすぐに椅子の扉を開く。背もたれに体を向けて、膝立ちの足は地についている。

「緊急事態だ。駆動神器キュクロプスが洗脳を解き、冥界に向かった。どうにか鎮めてくれ。私も後ほど向かう」

『はぁ……いつもこんなのばっかり。ヘカテー様、これ以上面倒事を増やさないでください……』

オルプネーさんの声だ。かなり危機的状況でも、声音は変わっていなかった。

「すまない、今回ばかりは反省している。だから頼む。せめてハデス様にこの失態が伝わる前には収めてくれ……！」

『承知しました。すぐ反応を確認します——うわ、すごい速度……ガルムくん、聞いていましたね？　大仕事みたいです。私もすぐ向かうのでしのいでください』

『聞いてる、というか、もうおっきいの見えてきたよ！　これは歯ごたえありそうだね～♪』

バタン。

扉を閉めたヘカテーは冥界方向に体を向けたが、倒れた。さっき飛ばされたときに、悪い所をぶつけたようだ。ここでの戦闘はひとまず落ち着いて、周囲の状況がよくわかった。

私以外、全員が倒れてしまった。システム・オメガを回避するべく避難した遠くの村人たちは、生きてるかどうかもすぐにはわからない。

「みんな……みんな……っ！　一人ずつ回復してると間に合わない……技はこれで全部だし、もうどうすればいいの……？」

小さく叫ぶ言葉は冷静に出せていたが、心は再び折れそうだった。荒れた地に倒れたみんなが私を見ている。期待に応えなきゃいけない。ここで何もできなかったら、私はここにいるみんなを見殺しにしたことになるかもしれない――

逃げない。謝らない。助ける方法を探し続ける。なぜならそれは怖いから。私一人に託された大量の命が今だって怖いけど、逃げる方がよっぽど怖いから。

「スキルは自分で生み出すものだぞ。今こそ現状打破の技を作るんだ」

と、アルンが起き上がろうとする。立ち上がることはできず、途中で止まる。

「広域魔法なら、星と同じ感覚でいけるはずさぁ……」

ジョンさんが追加でアドバイス。この人の説明はいつもわかりやすい。この地域全体を見るようにしながら杖を構える。

「今までレクシアが使ったのは個々の神の力と竜の力だけだ。例えば俺は神の剣と人間の魔術を使ってるが、その二つを複合して使うときもある。まあ人間は複合種族だからなんでもありってのもあるけどな」

ローランさんの決定打。それだ！

再度、神の花と竜の羽を発生させ、同時に能力行使を試みる。一瞬術が弾かれ、脳が痺れた。大丈夫と深呼吸。私とイリオスとの繋がりを世界に認めさせる行為だ。負けるわけにはいかない。

「よし、できた！」

愛情を司る神の事象顕現と、賢き竜の愛情はそこまで違わず、むしろ似ているものだった。繋げてわかった。私もいつからか、子竜たちに同じような愛を注げていたんだ。――ここのみんなにも、そんな風に。

「複合術発動、ディア・パステル……！」

この場所が一瞬、聖域と同じ空気に変わった。その聖域の力を、事象顕現でみんなに降らせるようにしてヒールをかけた。目を閉じていた人が目を覚ます。遠くの村人も動けそうだ。助けられたんだ。

一番近くにいたアルンに手を差し伸べる。その手を取って顔を向けたアルンが、小さく口を開く。

「レクシア……お前、神か竜か、どっちだ――？」

初めて戦ったときにも聞かれた台詞だ。

元から神だったらしいし、もう完全にそうなってしまったかもしれない。羽を使って強化されたとはいえ、竜の異能も自分の潜在能力で使えてしまった。けど私は、あえて首を振る。あなたが教えてくれたから。

「ううん、違うよ。アルン、あなたの親友の、ただちょっと力があっただけの――」

まだ少し残る心地いい空気の中、事象顕現の親愛を伝える顔ではなく、もっと最初の、無邪気な笑顔を作って。

「――人間だよ」

【11】大いなる激突

アルンやローランさんと一緒に、全員の無事を確認した。あの戦いの中で被害を受けても命だけは落とさなかったみんなは、黒の大地で生き抜く力をしっかり手に入れていると思う。

「じゃあ私は、ガルムたちを加勢しに冥界の門に行くね」

「私も行こう」

アルンも続いて来てくれる。ヘカテーも黙って椅子に座り、移動を開始した。

「おい待てよ、何故そんなことするんだ？」

立ち止まって振り返る。そこにいたローランさんは拳を握ったまま動かなかった。

「ヘカテーをも回復させたお前の気持ちはわかる。でもこの後戦いに行くことはないだろ」

私はその言動に対し即座に返答する。

「あそこには一度関わった知り合いがいるし、もし関わった人がいなくても、目の前で危険な目に遭ってる人を放っておくのは、私は嫌だから」

「そういうことだ。もし奴らが死んだら後味も悪いしな」

と、アルンも続いた。

「ちっ、そうかよ」

私たちはローランさんに構わず走った。きっと時間はあまりない。


大地全体から見れば近所だが、かなりの距離だ。休憩を最低限挟みながら走り続けた。門が近づいてきたあたりで、体の痺れを感じた。

「はぁっ、なんか調子悪いかも。走りすぎたかな」

「私も同じだ。どうする、また休むか？」

「さっき休んだばっかりだよね。どうして急に――」

そのとき聞こえた。あの雷の音だ。戦いを求める、暴走竜の存在証明だ。

「違う、これはヴァラーグの瘴気だよアルン」

「なるほど、冥界方面に向かっていたか。両方片付けられて都合が良いな！」

「その前向きなところを見習いたいよ……」

瘴気なら仕方ないと走りを再開する。

「デェアアアア！」

邪竜の雄叫びが聞こえ、遠くにドラゴロイドが見えたので追いかける。冥界の門も見えた。

「牙刀さん！　大丈夫ですか⁉」

「レクシア殿……！　無事で何よりだ」

「お前が無事じゃないじゃないか！」

牙刀さんは倒れていた。アルンが傷などを確認し始めたので、私は回復魔法を準備する。

「ディアルアァ！」

ヴァラーグが突進してきたので中断して緊急回避。

「だめだ、標的が移った。回復の時間がない」

アルンが剣を構える。私もヴァラーグに杖を向けようとしたが、熱を感じてその方向を向く。炎が噴射されてきた。

「ホーリーシールド！」

反射的に防ぎ、相殺。その先を見ると、遠くにキュクロプスの手があった。炎の射程のギリギリだったのに相殺だったことを考えると、もう少し近づくと回避しか方法がないし、避けても熱でやけどしそう。恐ろしい火力だ。

「あ、レクシアとアルンだ！　やっほー！」

ガルムの声が聞こえる。オルプネーさんとシャドウワームもそこにいた。合流した方がやりやすいだろうか。

「アルン、どうする？」

それだけで伝わってくれたアルンが頷く。待ってて、と牙刀さんに謝りながら門に走る。ヴァラーグはアルンを狙って飛んできた。

「止めて、シャドウワーム！」

オルプネーさんの指示でシャドウワームが地の影に潜ると、急にヴァラーグの動きが鈍くなった。

「どうもだ。久しぶりな気がするな。助かった」

「アルンさん、油断はせずにお願いします。完全に動きを止めるつもりではいましたが、あの竜はそうさせてくれないみたいです」

「十分だ。なら鈍った竜の攻撃は回避しつつ、まずは手負いの神器から鎮めるか」

「こっちも鈍いよ。ほらほら、よいしょ！　ただ硬いな～」

ガルムがキュクロプスに狙われていたが、その巨体の死角に入り続けるように素早く動いて槍を叩き込んでいた。圧倒的かと思ったが、ほとんど攻撃が通っておらず、怯ませるだけとなっていた。この作戦は無傷で進行しているようだが、これだと体力面で獣人が不利だろう。あの神器に体力切れはない気がする。

「ディェオォオ……！」

縛られたヴァラーグがうめくように鳴きながら突進してくる。その動きは遅いが、突きだされた爪の雷は脅威だ。

「トワイライトクロス！」

黄昏の光を上昇してかわすヴァラーグ。止められなかったが、結果的に爪を回避できた。

「隙もらいました。デッドエンドゾーク！」

オルプネーさんがヴァラーグの上昇による減速を狙ったようなタイミングで手を突きだす。特に何も見えなかったけど、ヴァラーグは急に悶えて墜落した。そのまま勢いよく地を滑るように、私たちのそばまで無防備に移動してきた。翼が広がっているのでステップで回避。恐ろしい見た目なので、足元の近くに来ると少しびっくりする。

「良い連携だ。焔の逆鱗！」

アルンがその翼に剣を振り下ろす。膜が一枚焼き切られ、ヴァラーグがその場で暴れる。

「ガルムくん！」

「任せて、オルプネー様！」

影縛りをヴァラーグからキュクロプスに移して、ある程度自由になったガルムがキュクロプスを蹴ってヴァラーグに向かって跳んだ。

「閃刹連撃（せんせつれんげき）！」

空中ですごい回数を攻撃したガルムによって、もう片方の翼の膜も一枚斬られたヴァラーグ。一瞬完全に動きを止めたが――

「まずい、雷瘴だ――レクシア！」

「うん！」

アルンの警告。ヴァラーグの角が赤く光る。私がシールドを張る。全員分同時に張る選択が遅れを招いたか、シールドは完全に生成される前の薄い状態のまま、雷が発生してしまった。

「邪魔だァァア！」

致命傷は防いだが全員吹っ飛び、ヴァラーグはふらっと揺れてから空に昇った。倒しきれなかったが、それよりも気になることが。

「喋った……!?」

「竜は喋るが邪竜は例外、なんてことはないぞ。ここまで喋る必要もなかったというのが恐ろしいんだ」

ヴァラーグが高度を戻してから振り向き、再び角を光らせる。

「楽しくなってきたぞ——ボルテックブレイブゥゥゥウ！」

技名発声。強力な技のイメージ工程の短縮。さっきまでは本気じゃなかったってことなの——!?

雷が体から全体に放たれ、私たちの身体が痺れる。強い痛みも感じる。前までよりも明らかに強い。

「雷撃ヲ、脅威ト、判定。優先デ、排除」

オルプネーさんの身体が痺れたことで、シャドウワームの影縛りが解けたキュクロプスが活動を再開する。けど狙いはヴァラーグ。助かった。

「コード・イプシロン」

「ボルテック——チッ、やるではないか！」

ヴァラーグが炎を回避する。もしボルテックブレイブが発動したら巻き添えになっていた。安全というわけではなく、むしろ危険だった。

「システム・オメガ、再起動準備」

「そんな……！」

キュクロプスの翼が、その刃を広げるために熱を排出し始める。雷の痛みの中、私は絶望せずにはいられなかった。

「オルプネー様――ッ！」

「ガルムくん……!?」

痺れる体を強引に動かしたガルムがオルプネーさんをかばうように前に立ち、キュクロプスを見据えた。その眼は戦闘中でも見せなかった真の獣の眼だった。

それはだめだ。動けないこの状況でそれを受けたら、今度こそ耐えられない――

「頼む、頼む！　今動けなくてどうすんだお前は！」

門と反対方向、遠くから聞こえた声。見るとローランさんが剣に声をかけながらそれを地に突き刺し、その場所に魔法陣が展開されていた。

「ローランさん！」

「おうレクシア、待たせて悪かった。確かに後味悪ぃ。もう国民みたいになってるお前らが死んだらな！　だから俺が、王である俺が守ってやる！」

「時間稼ぐだぜ！　やっちゃってくだせぇ！」

さらに遠くから追いついてきたジョンさんが棍棒を高く掲げると、キュクロプスの周囲が熱くなり、熱排出が遅くなった。

ローランさんの魔法陣の光は強まったり弱まったりしている。ローランさんは繰り返し剣に呼びかける。

「こいつめっ！　ちっ、わかった。確かに未熟だよ俺は！　お前に頼らないと何もできねえ！　まだ王と認めなくていい！　だが今は、皆を守るために！　少しで良いから力を貸しやがれ！　グローリアス⁉」

その声は怒号だった。未熟な自分に怒るような。そしてそんな自分を助けてくれない英霊への怒りにも聞こえた。

魔法陣が強く光る。剣の魔法陣の先にもうひとつ魔法陣が出現し、大きな騎士が召喚された。実にヴァラーグくらいの大きさだ。

キュクロプスの刃が完全に開かれ、雷を発生させ始めたそのとき。巨大な英霊が消え、キュクロプスの至近距離に一瞬で出現、その大きな剣でキュクロプスの刃を砕いた。

「シァアア⁉」

「痺れ解除ぉ！」

そしてジョンさんによって回復したことで、私たちは態勢を立て直す。

「やりおる。ならこうだ！　デェアアッ！」

ヴァラーグの狙いがジョンさんに移ったが、その前にいたローランさんが剣を構える。

「グローリアスに負けてられねぇ。俺は俺で、目の前の敵を片付ける――フォースラッシュ！」

肩を叩かれた私は、ヴァラーグやローランさんから、キュクロプス戦に意識を戻す。

「逆転というのは、本当に何度も起こせるものだな」

私の肩を叩いたアルンは笑った。

「まだ油断しちゃだめだよ。勝ったと決まったわけじゃないんだから」

「その余裕ある顔でバレバレだぞ。もう勝った気でいるのはお前の方じゃないか」

キュクロプスはグローリアスに攻撃され続け、思うように動けなくなっている。あとはトドメを刺すだけだ。

足音が聞こえた。ガルムとオルプネーさんが集まってきたんだ。同じく微笑を浮かべている。

「私たちと同じく、あの神器は頭部で思考しています。私のシャドウワームを起点に一斉攻撃をしかけましょう」

オルプネーさんが指でそれを示す。

「わかりました。アルンもいいね？」

「剣の英霊が邪魔だ。近接攻撃は避けよう」

「そうだね～。久々にアレが使えると思うと楽しくなってきちゃった！」

ガルムが槍を指先で器用に回す。アルンが対抗して剣を片手でお手玉する。

「そんな奥の手があるなら、私との戦いの際にも使え」

「そんなことされたら私が耐えられなかったかもだよ？」

「ふふっ、戦いは友情も生みますね。だからこそ、このような戦いは早く終わらせましょう」

指揮官のオルプネーさんに従うように三人で返事をして、キュクロプスを見据える。

「始めるわよ、シャドウワーム。アビス・ドレイン！」

シャドウワームが影に潜り、キュクロプスの腕が下がった。結果腕からの攻撃は不発に終わり、隙ができる。

「よし！　奥義っ、幻狼裂爪弾（げんろうれっそうだん）♪」

アビス・ドレインの詳細とタイミングを把握していたガルムが幻狼を何匹も出し、キュクロプスの頭を攻撃させた。幻狼が消えるたびに次の狼が現れ、絶え間ない連撃になっていた。

「狼の進路を調整しろ。バーニングブレイド！」

炎を伸ばして振り下ろされたアルンの剣が頭部を灼き、幻狼はそれに当たらないように進路を変更して突進を再開した。

ここまでの時間で準備ができていた私が、最後に杖を構える。

「今度こそ終わり！　セルリアンルーセント！」

光が放たれ、キュクロプスの頭が飛ぶ。中身は何もないようで、何かを吹き出したりはしなかった。グローリアスがその神器の背中に剣を打ち込み、私たちの連撃との挟みうち効果を発生させ、ついにキュクロプスは前に倒れた。

「――目標、ロスト。戦闘継続、不可能――」

グローリアスは続けてヴァラーグに剣を向け、その剣先から一直線の鋭い光を放った。ヴァラーグはその、まさに光の速さの攻撃を受けながらも、急所は逸らせて耐えた。

「チッ……流石に英霊は面倒か。また会おう、強者たちよ」

続けて放ちそうになるグローリアスの光線が来る前に、ヴァラーグはそう言って去っていった。その速度は速すぎて追えない。

「ハッ！　捨て台詞はいいが、逃げながら言っても格好がつかないぞ邪竜！　はっはっは！」

アルンの笑いにつられて、私もみんなも笑った。ひとまず、これで安心かな。

安心して息をつくと、羽の輝きは普段通りになって、髪の色も戻った。一時的な効果だったようだ。

グローリアスが無言で消滅し、戦場の巨大な存在は、キュクロプスの動かない体だけ残った。

【12】クエストリザルト

私たちは牙刀さんの治療を行った。ひどいダメージだったが、私とジョンさんで力を合わせて全快できた。犠牲がなくて、本当に良かった。

「あの邪竜と一人で戦い続けて生きてるんだ。牙刀お前、ひょっとしてこの中で最強の戦士かもしれないいな」

ローランさんの賞賛に、牙刀さんが首を振った。

「負けた以上、まだまだ未熟。この刀の異能斬りが、邪竜と相性が良かっただけのこと。拙者はあれと対等に戦えるくらい――いや、そのさらに高みを目指しているのだ」

こりゃ敵わないな、とみんなで笑った。そして仲良く門に戻る。

「――大丈夫そうです。もし頭を戻しても、胸にあった目のコアを復活させるまで動かないでしょう。ですが念のため、頭はそのままにしておきます」

オルプネーさんがキュクロプスから離れ、シャドウワームも仕事を終えてオルプネーさんの隣に戻ってきた。

「オルプネー様っ、じゃあアタシも見に行っていいよね⁉」

ずっとぴょんぴょん跳ねていたガルムが許可なくキュクロプスの体に飛び込んでいった。

「いいですけど、せめて返答を待ってください……」

オルプネーさんがこめかみを押さえる。

「機体確認中ずっと待ってたじゃんー！　あ、これすごい！」

ガルムの楽しそうな反応につられてうずうずしだしたジョンさんが、手を垂直に上げる。

「じ、自分もいいですかぃ⁉」

「えぇ……わかりました。天軍勢力の疑いも晴れてるでしょうし、冥界からも何も思われないでしょう……」

ジョンさんもガルムに続いて走り込んでいく。

「冥府軍以外もいいのか。なら私も行くぞ」

アルンも続けて機体に歩いて行った。残された私とローランさん、牙刀さんは、はしゃぐ三人と呆れるオルプネーさんを見て苦笑し合った。

しばらくして、冥界の門が開いた。中からヘカテーが椅子なしで歩いてくる。

「終わったようだな。ご苦労」

「ヘカテー！」

「お前、そうやって黙って見てたってのか！」

私の分までローランさんがヘカテーに殴りかかろうとしたのを、牙刀さんが手で制止する。

「あの者、先ほどまでの魔力を感じぬ。きっと戦意もないだろう」

「賢き竜人、その通りだ。むしろ今回は久々に反省している」

私は落ち着くように深く一呼吸置いた。

「態度が変わってないから、そう見えないんだよ」

「これは直せない、許せ。外出の際、椅子に座っていない時点で周辺魔族は驚愕するのだがな」

現にオルプネーさんが驚いていた。きっとこれらの発言は嘘ではないだろう。

「悪意、敵意はないとして、ならば援軍に来なかった理由、そして今ここに来た用件を述べてもらおう」

牙刀さんに言われ、きっとこれも癖なのか、ヘカテーは頬杖をつくように手を動かしてから口を開いた。

「冥犬はすぐに復活できる。それをまず行った。そして情報を操作して、この事件を隠蔽する作業をしていた。同時に、攻めるために改変していた村の情報を新たに更新、公開した。今は、その最後の口止めをしに来たというわけだ。あとは任務の報酬だな」

アルンが会話を聞きつけてこちらに来た。ちょうどいい、とヘカテーが私とアルンを見た。

「調査対象の竜の名はグレイルだった。だが被害を起こしていた正体は別の邪竜だった。貴様らは邪竜を追い払い、その元凶を手懐けたということを確認した。情けをかけて殺していないのは不安要素だが、完璧な結果だ。よってレクシア、アルン両名に七万ゴールドずつ与えよう」

「なんと！　七万、それも両名とは……！」

牙刀さんが仰天した。

「お前ら、そんなでかい依頼受けてたのか……！」

ローランさんも驚いていた。ゴールドを所持した経験がないため、金銭感覚のない私はアルンを見た。相棒も知らないようで、黙って首を振った。

「ん……どうした、不満か？」

ヘカテーもその無反応に、少々驚いたような顔を見せた。このままきょとんとしてるのも良くないので、微笑を作って応対した。

「ううん、十分。ありがとうございます」

再び冥界の門が開いた。中から出てきた女性は、こちらに目もくれず、別の方向に歩きだした。その大きく長い角、見覚えがある。

「ベルゼブブ！　ベルゼブブさんだ！」

私は脇目も振らずに走った。そうだ、冥界に関するここまでの冒険は、ここから始まったんだった。

ベルゼブブさんが私に気付いて振り向く。

「何だ、忌まわしき神族がこんな所に」

忌まわしき、か。

七罪にはそう思われてしまっているのだろう。少し悲しいけど、言いたいことはちゃんと言う。

「あの、お礼が言いたくて……！　私、以前あなたに、エリュマントスから助けてもらって……！　覚えてないかもしれないし、気付いてなかったかもしれないけど……ありがとうございました！」

頭を下げる。アルンの足音が聞こえた。

「正直時間の感覚は曖昧だが、三日は経っていないだろう。私たちは猪の群れを襲い、食事をしていたんだ。途中で猪は貴様の飯になったがな」

顔を上げると、ベルゼブブさんは顎に手を付けて虚空を見上げていた。

「ああ……貴様らはあのときの、竜族ともう一人か。反応だけは確認したが姿は見えなかったし、出てくる様子もないから放置したんだった。成長したようだな。力の反応が強くなりすぎて、同一人物と気付けなかった」

「覚えててくれたんだ……！」

ベルゼブブさんは魔物を統べる者のイメージに反した、優しい微笑を浮かべた。

「助けた甲斐があったようだな。白の神族もこうして従えられるとわかった。この地に降りてきたのなら、今後も七罪や冥界のために励むと良い」

そう言ってからふわっと浮いて、ベルゼブブさんは去っていった。

「良かったなレクシア。正直、喰われないか不安だったぞ」

「ちょっと私も怖かったけどね。でも良い人だった！　まさか会えると思わなかったから、この報酬が一番嬉しい！」

目標達成。冒険始めたての気持ちに戻ったように、ガルムみたいに跳ねながら笑った。アルンはそんな私を見て微笑んだ。

冥界を攻めたキュクロプスを鎮め、同時出現したヴァラーグを退治したという功績で疑いが晴れ、むしろ天軍に敵対していることを宣言したローランさんたち。話をすることもせず友軍を突然攻撃したという罪を犯したことになり、詫びの金を渡すと同時に冥府軍への同盟交渉を行おうとしたヘカテーに、ローランさんは「村にいる国民にまず謝って、そいつらの判断で罰を受けろ」と言った。ヘカテーは悔しさでひどい顔をしながらも了承し、頭を下げた。

冥界組と、集まった村人たちとは別の位置に陣取ってその光景を見る私たち。村人はどんな罵声を浴びせるのだろうかと怖くなり退席したくなったが、村人は意外にもそうしなかった。

「顔上げな婆（ばあ）さん。幸いこっちは誰も死んでねぇんだ。重傷は何人かいるけどよ」

「七罪の次くらいの立場にある冥界の将が頭下げたんだ。俺たちも許してやらなきゃ悪人ってもんでしょ」

「だが詫びの金はたんまりもらうぜ！　ちゃんと医療費とかにも回しつつ、今夜もまた騒ごうぜぇ！　いいですよね、我らが王子！」

そのうち村人たちはみんなその意見で一致していた。私も驚いたし、ヘカテーやローランさんも驚愕の顔から動かなかった。

ジョンさんが村人たちの方に駆け寄ってから振り向いて、村人と一緒にローランさんを見る。

「王子、自分が憧れたこの黒の大地は無秩序、無法地帯でさぁ。でもそれは、罪を犯した人を必ず裁かなければならないなんて法がないことも意味する。相手が本気で反省して、こっちが許したなら、それでいいんだわ。法と自分の意思を一致させてしまう白の思考から、今は脱していいんさ、王子」

村人たちがその発言に同意した。

「ちくしょう……俺はまだ王にはなれないな。民がこんなイイ奴らだったのを、わかってなかったのかもしれねぇ……！」

目を瞑って体を震わせるローランさん。その様子を見たヘカテーが安心して顔を上げた。

「感服だ。言われた通り詫びは弾もう。一万ゴールドを村人の人数分でどうだ」

「素晴らしい。流石トップの婆さんだぜ！　騒ごうぜ、野郎ども！」

先頭の村人が掲げた腕に続いて歓声が上がった。

「だがこれ以上婆などと言ったら消すぞ……!?　あと、同盟の意思は……？」

「今はお前らと組む気はない。また気が変わったらこちらからだ。――連日お祭り騒ぎはどうかと思うが、まあ今回は、いいか……」

ローランさんがお金の勘定を始めた。オルプネーさんとガルムが私の所に歩いてくる。

「私からもお礼をさせてください。ヘカテー様の依頼の原因が私たちにある気がしなくもないと思えてきて、何もしないのもどうかと思いまして」

この人たちはいつだって良い人たちだ。白の大地だけじゃなく、黒の大地も明るいところがしっかりあった。統治によって守られていないからこそ、こうした助け合いも仲間の中では発生するのかもしれない。

なら言ってみたいことはあった。言わなくていいことかもしれないけど、まだ不安だから。

「じゃあ――私と、友達になってくれませんか」

これはお願いという形で隠した確認だった。信じたかった。私の気持ちがとっくに伝わっていたかどうか。もう深く考えなくていいかどうか。

ガルムは吹き出した。オルプネーさんもくたびれた顔をほぐしてくれた。

「そんなこと言わなくても、私やガルムくんは、もう友だと思っていますよ」

「そうそう！　レクシア、大抵戦ったときから友情は生まれてるものだよー」

「ぁ……！　失礼しました。ありがとうございます……！」

「その願いは無効になったし、他に何かやりたいことないかな？」

ガルムの質問。えっ、特にない。どうしよ……なんておろおろしてると、アルンが出てくる。

「なら私に言わせてくれ。あの神器の金属部位の一部を、私にくれないか？　コアとは言わない。例えば――コード・イプシロンの一部とかな」

「それを何に使うんですか？」

冷静に最後まで話を聞く姿勢のオルプネーさん。

「使い道は後々考える。未知の最先端技術は持っているだけでいずれ役立ちそうだし、元より冥界が管理するものじゃないなら所有権はないはずだ。私は今後、白の大地に行くつもりだ。そこの研究者にでも会えれば、半分の世界でしか生きていない冥界よりも、早く研究が進むかもしれないぞ」

「というかなんかカッコいいからね！　オルプネー様、アタシも欲しいな〜」

「ガルムくんこそなんのために使うんですか。――わかりました。こちらとしても、再び暴走した際の兵器が減ると楽かもしれないので、コード・イプシロンの一部分を追加報酬とします」

「――報酬は渡し終えた。我々は冥界に戻るぞ」

ヘカテーが椅子に座り、浮遊を始めた。

「もう時間か〜。レクシア、アルン、またお話してねー！」

「神器の部品も後ほどシャドウワームで運びます。では、お疲れ様でした。ここ最近は物騒で、ヘカテー様も珍しく強引な作戦を選択しました。今後もどこで戦いが起きるかわからないので、注意してください」

三人の帰りを村のみんなで見送った。とても明るい光景だった。

「昨日の敵は今日の友、であるな。この大地も、なかなか良いものだ」

牙刀さんの発言に同意した。話だけでなく実際に旅をしてわかった。ここは素晴らしい世界だと思った。

その夜、お祭り騒ぎの中、アルンは神器の鉄板を村人に見せびらかすようにして楽しんだ。その傍らで、私も村人たちと話せた。人見知りはもう、ほとんど改善に向かっていた。

夕食の後、戦闘で先延ばしにされていた水浴びの時間ができた。冥界組が帰還した後グレイルも村に戻ってきて、ローランさんとともに温泉の真相を村人に話した。大人の竜がちゃんとコントロールすれば、臭いを発しない火球も出せるようで、夜の宴会で深まった絆(きずな)、その人々と竜の共存で、この村は温泉村として発展していく未来が見えてきた。成長途中の子竜のブレスは、強く警戒して対処するようだ。

ここには自分しかおらず、集団から遠く離れているとはいえ、人が住む村での水浴びは緊張する。しかし水浴びをしたい欲の方が勝っていたのですぐに準備を済ませた。樽(たる)の蓋を開け、今回浄化した湯を入れる。山の湯はまたしてもなくなってしまっているので、しばらくはこんな感じだろう。

「この装備、仕方ないけどパーツの数が多いなぁ」

鎧をガシャガシャと外して、交差して巻いた腰のベルトを外して布部分も脱ぐ。汚れてるから残り湯を使って洗濯でもしよう、なんて考えながら髪を結わえている環っかも外す。

「あー、体が軽い！　——あー！　温かい！」

普段は聖域の池で水浴びをしていたので狭さは感じるが、冷たさで体を震わせなくていいという点が魅力的で、そんな思考はすぐに頭から離れていった。やっとありつけた湯はとても気持ちいい。これがいずれ、黒の大地の全員が使えるようになるといいなと思う。

赤い空を眺める。暗い世界の見えない視界も慣れてきた。むしろ自分の魔法が眩しすぎると感じてきている。

重い足音が聞こえて空から視線を戻す。木の樽は高さがあるが、反射的に膝を抱え込んで体を縮める。見慣れた頭蓋飾りが視界に入る。

「お嬢ちゃんかい。どうよ、温かい方がいいだろ。イリオスに感想をべらべら言いながら提案してみたらどうだ」

「グレイル、なんでここに。あとこっち見ないで」

「人間じゃない俺様が村をあちこち回って、お嬢ちゃんの無防備な水浴び中を警戒してるのさ。あと、見てないし隠れてるし興味もないぜ？」

「ふーん、案外真面目なんだ」

「俺様はいつでも大真面目だろ？」

しばらく無言が続く。空を眺め続け、去って行こうとしないグレイルは、再び口を開いた。

「報告しなきゃならねぇことがある。俺様は生活の中でヴァラーグの気配を察知する力が鍛えられたんだが、その気配が、今は全く感じられねぇ」

「どういうこと？　退治はできたけど、まだ倒せてないと思うんだけど……誰かが倒してくれたとか？」

「いや、奴は非エルダーの中で最強クラスの邪竜だ。それこそエルダークラスにでも襲われない限り死なねぇと思う。最新技術の駆動神器や、話に聞いた王の英霊に倒せる可能性はあったが、退治後に再び遭遇はしていない」

私は続きを予想できず、ただ結論を待った。不安から膝を抱える腕の力を強めて俯き、目だけ上を向けてグレイルを見る。

「ヴァラーグはあの後、白の大地に向かったんだ」

また、無言になった。この暗い空は、私の不安を霧散させることなく、心に強く押し込んだ。

ローランさんは私とアルンのために小さな木の家を用意してくれたので、そこで寝ることになった。牙刀さんも別の場所を用意してもらったという。

アルンは遅れて樽風呂に入っているので、私が先に家に入って軽く掃除をした。手を上げれば簡単に触れられる低い天井だったが、横には広く、快適だった。

「そんなに汚れてない……。普段ここに住んでる人が掃除してたのかな。多分ローランさん？」

ローランさんから聞いた通り寝室——ひとつだけの大きな部屋——にはベッドが二台。これも初めての経験なので心が躍った。

杖を立て掛け、鎧も綺麗な配置で床の端に置いておく。布の服だけになって気が楽になったので、うーんと伸びをした。

「入るぞレクシア。いやぁ、良い湯だった」

「きゃあ！」

結んでいた髪を解いて、長い髪を広げたアルンが部屋に入ってきた。印象が変わって少しドキッとした。

「何も叫ぶことはないだろう。髪を解いただけじゃないか」

アルンが私と同じように布装備になり、鎧を床の端に置く。

着痩せするタイプみたいだ。鱗代わりの鎧を脱いだアルンは、私よりずっと女性として魅力的な体つきをしていると思った。

私の鎧の足はハイヒールでかかとが高いが、アルンはそんなこともない。結果私だけ身長が低くなってしまった。

「アルンってけっこう、背が高いんだね」

「そんなことはないだろう。ローランを始め、男どもには見下ろされる高さだ。足装備を取ったレクシアの方が、普段と違う分低く見えるぞ」

私が見ている世界なので、私が低くなればみんな高くなるが、確かに実際は私が低くなっただけだろう。

アルンが不意に私の頭を撫でてきた。共に行動していたとはいえ、身長が高くなって髪も解いて伸ばしていれば、一瞬別人にだって見えなくもないのだ。私は驚きと困惑でしばらく動けなかった。

「えっ、えっ？　アルン……どうしたの？」

「いや、前まで同じ高さだったのに、これだと手がちょうど乗りそうだと思ってつい。レクシア、今のお前、けっこう可愛いぞ」

「か、かわっ⁉」

恥ずかしさで思わず身を引いて、逃げるようにベッドに潜りこんだ。普段なら軽く返答したが、印象の違う今のアルンにすぐ対応することができなかった。

上から布がかかるのは新鮮だったが、流石に子竜たちの中で寝る方が気持ちよかったし暖かかったので、風呂ほどの感動はなかった。というか、今はアルンが主に私の脳内を巡るのでベッドの感想なんてわからない。

「ははははっ！　普段の調子はどうした。身長は自信にでもなっているのか？　まあいい、私もそろそろ寝るとするか」

アルンが横になったのを見てから、天井にくっついている魔石が放つ、弱い光魔法を解除する。

「ねえ、アルン」

「なんだレクシア――むっ、こういうとき尻尾は面倒だな」

アルンは尻尾をベッドに当てないために、背中を上にするように回って体を向けてくれた。でも私は向き合うのがなんだか恥ずかしくて、顔を下げてしまった。

「明日、白の大地に向かおうと思うの……いいかな」

一緒に来てほしい、とは言わなかった。アルンに用事があれば私も残るし、一緒に行くのは私の中で前提になっている。

「わかった。確かにここでの用事は済んだしな。いいタイミングだ」

「うん、ありがと」

そして同行することが当たり前になっていることにも感謝した。もうお互いの存在は、必要不可欠になっていると思う。

「それで……行き方はわかるのか？」

「あっ……」

「ははっ、やはりわからないか。明日誰かに聞くとしよう」

――未熟だから助けてもらってるだけな気もしてきた。

【13】一期一会

「お世話になりました！」

頭を下げる。もうローランさんやジョンさんにも敬語は使っていないけど、この言葉はこの形であるべきだ。

「俺たちもお前らには助けられた。飯は食ってかなくていいのか？」

「もらった携帯食料を残せなくて、今朝食べきったの。だから大丈夫」

キュクロプスの部品を送ってくれたタイミングでオルプネーさんに聞いたところ、あの携帯食料はニンフ――精霊族がおいしく食べられるように味を変えられていたのだという。それを隠れて行っていたというヘカテーにアルンは良い顔をしなかったが、部下への配慮もできる人なんだなと、私は少し見直した。

私たちが出発することを伝えると、村人みんなが見送りに来てくれた。牙刀さんは白の大地のそばまで案内してくれるようで、こちら側についている。

「牙刀はその後、どうする気なんだ？」

ローランさんが牙刀さんを見て質問する。

「拙者は案内を終えた後、この大地で修行を続ける。またこの村には寄るときが来るやもしれん」

「おう。そのときはまた飯を振舞うぜ」

「ここも豊かになってきたし、もうここでずっと過ごしてもいいんじゃないか？　新天地の王」

アルンがそう言って周囲を見回す。確かに黒の大地の中では――恐らく冥界もそうだが――トップクラスに豊かだと思う。

新天地の王と呼ばれた王子は首を振った。

「確かにここも発展してきた。でもそれは故郷に帰るための過程に過ぎない。なるべく早く国を取り戻して、ここもその領土にでもできればいいと思う」

「別の大地にも領土を持つとは、欲張りなことだ」

「両方大事なら両方取る、この発想は好きだなぁ。ここで目覚めた新たな神の信者みたいな人がいるのも、理由としてはあるけどなぁ」

村人代表みたいになっているジョンさんがそう言うと、後ろの村人たちが喋り始めた。新たな神

……？

「拙者が戦闘後、レクシア殿の回復魔法を受けたとき感じた、子を見守るような愛情。それを村人

たちも感じていたのだな。神族への偏見は、もうないだろう」

牙刀さんの冷静な分析。司る事象を生み出す、事象をそのまま顕現する私の能力。その効果を今理解した。

「私、あれを村全体に使っちゃったよね……能力を行使する時点で確かにそんな気持ちがあったとはいえ、みんな私のを受け取って……えっ、どうしようアルン、恥ずかしい……！」

「私も回復魔法を受けたぞ？　詳しいことは知らんが、お前は私に会う前、しっかりしたお姉さんをやってたようだな？」

アルンニヤニヤしてる！　追い打ちかけてる！　ひどい！

急に空からグレイルが降ってきて、その風圧と勢いで一瞬場が鎮まる。

「あいよ、どうも。真剣に考えな。この大地で星の光を見せてくれてから、こいつら村人にとってお嬢ちゃんは希望になった。俺様やジョンは違うが、信仰者が何人かいる。お嬢ちゃんは、その対象になれるか？」

真剣な表情で見下ろしてくるグレイル。私も真剣な表情を返した。

「信仰は自由だから、止めはしない。神の力を使う以上、私も事象を司ってる自覚はある。でも――」

村人たちを見る。そしてわかる。私はこの人たちを守りたい村人たちと思っても、信者とか、見守り続けるべき民とか、そんな上の世界から見るような視点で見ていなかった。自分で安心した。

「接し方は変えないでほしい。私は力を持っただけの、一人の人間として生きるつもりなの。どうか自分を下に見たり、私を上に見たりしないで。密(ひそ)かな信仰を表に出さないでほしい……それでも、いいかな」

私はイリオスのようにはなれない。でも信仰の否定はしない。中途半端かもしれないけど、これが私の答えだ。

グレイルも村人たちを見る。村人たちは笑ってくれた。

「了解だ、レクシアちゃん！　最初は睨んじまってごめんな！」

「また遊びに来たら昨日みたいに飯を食おうぜ！」

同じように、私も笑って返す。

「うん、ありがとう！　――このままだとずっとここにいそうだし、私、そろそろ行くよ。またね！」

別れの時だ。察した牙刀さんが黙って背を向けた。

「いずれ貴様らに来たる決戦、健闘を祈るぞ！　では私も、さよならだ！」

アルンも一緒に手を振って村を出る。

「おう！　お前らも死ぬなよ！」

ローランさんやみんなも、手を振り返してくれた。

「お嬢ちゃん！　……その……ありがとな。出会いは悪かったかもしれねぇのに、俺様が救われちまったよ。――イリオスによろしくな」

そっぽを向いて喋るグレイルの声は徐々に小さくなっていったが、言いたいことはちゃんとわかった。

きっとこの人たちも、友達、と言える関係になれたと思う。証明とかはできないけど、この地との繋がりは強く作れた。お互い、今後も平和でいたいな。


大変な道のりだった。大地の最南端に向かうということで、直進しても時間がかかった。距離を把握していれば朝食をもらっていたかもしれない。

「到着した。ここが狭間の大階段だ。反転の階段、大地返しの階段などとも言われており、どの呼称でも大抵は通じる」

牙刀さんが指さした先に様々な種族の集まりと、下へ降りるような階段があった。大地の端より先はやはり何も見えない暗闇だが、その階段の周りにだけは高い石の柵が付いていた。冥界の門や、イリオスの身長と同じくらいの高い柵だ。

「はるか昔、大地の端、狭間にあるこの壁は、全てこのように高く石が付いていて、二つの大地を囲っていたのだという。時が経つにつれ、囲いの石は崩れ、人間などがここを発見したときは既に半分ほどしか残っておらず、階段は片手で数えられるくらいになっていたと聞いた」

「へーっ。牙刀さん、詳しいんだね」

「大地を移動する際に、学ばなくてはならないことであるからな……」

「で、牙刀。つまりこの古代より存在していた下階段は、白の大地に繋がっているということだな?」

アルンの発言に牙刀さんが頷く。

「然り。この階段は最も広く安全なことで有名で、その先の白の大地の出口から大きな街も近い。まずはそこで拠点を探すことを勧める」

「なるほど、道理であの周辺に集まりがあるのか」

「うむ。では、拙者の役目もここまでだな。さらば」

「牙刀さん……」

逆方向を向こうとするその足を、呼びかけて止める。ローランさんのときもそうだったけど、もう少し、別れを惜しもうよ……。

小さい声になってしまったが、反応して足を戻してくれた。

「貴殿らのおかげで、期待通りの修行ができた。だが、拙者はまだ、ここでやることがある。貴殿らが白の大地に用があるように」

「うん、そうだよね。ここまでありがとう、牙刀さん——また、会えるよね」

「礼には及ばぬ。旅は続けていく。無論どこぞで果てるつもりもない。またどこかで会えたときには、拙者の修行の成果をご覧に入れよう」

「ほう、それは楽しみだ。次会うときに、私と本気で戦ってくれ」

アルンと牙刀さんが好意的に睨み合う。それを見て微笑ましくなって、寂しい気持ちは薄れていった。

牙刀さんが再び足を逆方向に向ける。アルンと二人で小さく手を上げて、慎ましく見送った。

私たちは周りから見ると、派手な格好なのでなかなか目立った。なので、逃げるように足早に階段まで行くと、アルンもついてきた。

近くに来るとさらに階段の大きさ、石の高さを感じた。茶色の階段の進行方向は複雑になっていて、奈落の青空を見ることはできない。アルンに背中を軽く叩かれ、最初の一歩を踏み出した。

広い階段なので周りを見る余裕があった。しかし景色はほとんど茶色の壁だ。降りていくと、さっきまで大地があった方角だけ、大きな黒い壁になった。大陸から少し離れた階段、崩れたらと思うと怖くなる。

「私が落ちた所に似てる。私が落ちたのは真逆の北だけど、南でも狭間の壁は変わらないなぁ……」

「私は大地反転は初体験だ。レクシアのようなスリルがなさそうで残念だな」

「そんなスリルいらないよ……。え、見てアルン。あの階段どうなってるんだろう」

進む先に変な段があった。途中で終わったように見える段から、その次の段は縦方向の真逆――上を向いている。階段の足場を手で摑んで、宙ぶらりんで行けと言われているような形だ。これは崩れたと考えるのが自然だ。

「確かに異様だ。何故反対側に階段が続いて――うわっ⁉」

アルンがしゃがんで、奥の段を手で触れ、すぐに退いて尻もちをついた。

同じく通行人の、眼鏡をかけた白衣の男が後ろからやってきた。

「そこの竜人、理解せずに来たのですか？　まあ見ていてください」

白衣の男が階段の奥、虚空に足をかける。飛び降りる気⁉

声をかけるより早く気付いた。男は反対側の足場に両足を付けて立っていた。

「これより先から重力が反転します。気分を害する恐れがあるなら、一気に渡り切ってください。あと、ここは歩かずにジャンプで飛び込むと、しばらく重力が黒の大地のまま続くので奈落に落ちますよ。では私はお先に」

真下から聞こえた男の声は遠くへ行ってしまった。

「なんだか癪だな。そういうわけだから、私も行くぞ」

アルンが舌打ちしながら進んだ。私もそれに続く。

「ひゃっ……⁉」

階段は渡り終えたが、突然真逆になった世界に酔って、立ちくらみのように手を地に突いた。

「ほら」

「ありがとう」

アルンの手を取って立ち上がり、再び歩きだす。大陸の壁の色は、黒から白になっていた。

ある地点を境に重力が真逆になる、不思議な場所。ひとつ疑問が生まれた。

「私、どうして黒の大地に着地できたんだろう。ジャンプなら重力は変わらないって、あの人は言ってたし……ゴブリンたちは、神や天使は落ちても大丈夫、みたいなことを言ってたっけ……」

アルンが顎に手をやる。

「神には何故か空中でもすぐに重力が働くか、直前のジャンプではなく、ずいぶん前から空中にいれば重力は変動するのか……落下の最中に重力が変わっても勢いはそのまま、重力の影響を受けて減速して逆方向に落下して、着地したと考えるのが、今の段階の結論か」

「たまに本当に賢いよね、アルンって。その結論で納得しておこうかな。世の中不思議いっぱいだし、これを知ろうとすると学者にならなくちゃいけないかも」

「たまに、は余計だな。私はただの戦闘狂じゃないぞ」

「ふふっ、ごめんごめん。——あっ、ねえ、上見て。上に空があるよ！」

「空はいつでも上にあるだろ——おお⁉」

ようやく見えてきた、青い空。階段に流れ込む空気は、もう乾いた土地のそれではなかった。

三章　恵みの街

【1】白の大地

ラストスパートを駆け上がって大階段を出る。広い世界に降り立ち叫ぶ！

「戻ってきた！　久しぶり、初めまして白の大地！」

矛盾してるようだけど、聖域のそばまでしか行ってなかったので、きっと間違ってないと思う。

太陽の位置、明るさから見て時刻は昼前くらいだろうか。階段周辺は白の大地側にも人がたくさんいて、突然叫んでしまったのが恥ずかしくなった。

「あっ、すいません……」

縮こまって謝った。人々はニコニコしていたが、奇行を笑うような笑顔ではなかった。

「いいのよいいのよ。私もそれ、さっきやったし」

「ここに来る奴らの半数くらいが叫んでるんだ。大地を移動する気はないが、幸せそうな顔を見るために、ここに来るのが趣味になっちまったよ」

「ひどい顔して階段降りてく黒行きの人もいるけどニャァ？」

恥ずかしさは抜けなかったが、縮こまった体は戻して前を向いた。

「そ、そうなんですね……！　良かった……」

赤の他人にも遠慮なく話してくれた、様々な種族、両方の大地出身の方々。異種族交流はどこでも行われているが、ここは大地を隔てても繋がっている、良い交流の場だった。

「待ってくれレクシア……ちょっと、眩しいんだ……」

下からアルンの声が響く。私は少し戻って手を取った。

「ごめんごめん、一緒に行こうか」

手を繋いで再び白の大地へ。アルンが薄目をゆっくり開いた。

「おお……すごいぞ……今見える景色だけでも草木がいっぱいだ……！　土が柔らかい。水も豊かなんだろうな……！　ん、あの所々ある白い地はなんだ？」

私は遠くに見える大きな街や、さらに奥に見える円い建物——コロシアムや、雲すら貫きそうなほど高い白の塔に目が行く中、アルンは目の前の自然に興味を持っていた。私にとっては当たり前でも、アルンにとっては建造物よりこっちの方が新鮮かもしれない。

「それは雪だね。今季節が冬だから、降ってきた雪が積もって残ってるの。雨みたいなものって言えばわかる？」

「ああ、火の雨とか矢の雨とかの表現は聞くからな。なるほど、これほどまでに広範囲に雨を降らせる神の恵み、見てみたいものだ」

アルンは雨の神の恵みを、戦闘スキルと同じくらいの基準で考えていそうだ。街や国全体に降ったときの反応が楽しみになってくる。

「豪華な鎧だね君たち。ひょっとしてコロシアムに用かな？」

顔にも肌にも獣の毛が生えた、獣人の男の人が話しかけてきた。

「いえ、それも気になるところですけど、まずは拠点を探しながら、街を見て回りたいと思っています」

ちゃんと喋れた！　もう大丈夫だよ、お父さん！

「観光、または移住とかその辺か。ならこの道を真っ直ぐ行くとすぐ着くぞ。道は地面の色が緑じゃないからわかりやすいだろう」

黒の住民に配慮した説明にアルンも納得の表情、かと思いきや考えるような顔をしていた。

「それはいいが、魔物の危険性などは大丈夫か？　草木をこのまま放っておいて、緑の地が道と同じ色になったら迷うぞ」

獣人の男は驚いて笑った。

「はっは！　これは俺の説明不足だ。すまない！　大丈夫だ。この大地に動物はいるが、凶暴な魔物はほとんどいない。道中遭遇するのは、可愛い小動物か虫くらいだろう」

「そうか。なら食料はどうやって調達する？　まさか金でしか解決できないとか言うつもりか」

「言い方は悪いが、その通り。街で飯を売ってるからそれを買って食うのさ。青い方の騎士ちゃんはさっき久しぶりと叫んでたし、ここには詳しいかい？」

え、私ですか？　と自分を指さすと、獣人さんは頷いた。

「はい、ある程度の常識は。これ以上質問しても悪いので、わからないことがあるまでは私が教えますね」

「ああ、そうだな。知らないようなら俺がガイドしたが、問題なさそうか。じゃ、この地を楽しんでくれよ！　足止めして悪かったな！」

流れにつられて歩きだす。たくさんの人に見送られて、手を振り返す。

「成長したなレクシア。次は、私がここで生きられるようにならないとな」

街はとても広く、視界の奥にはもうたくさんの建物や人が映っていた。

【2】贈り物

赤い屋根の家や店が建ち並ぶ広い道。そこを歩く人々の中に、私たちは混ざっていた。

「すごい人の数。様々な職業の人だけでなく、他種族も普通に見かけるから、私たちも浮いてなくて良かった」

「流石に野良の神族と、竜人の姿をした竜族は、そう簡単にいないだろうけどね」

歩きにくい、なんてことは流石にない。しかしここまでの喧騒（けんそう）の中は初めてで、興奮と緊張が混ざり合う。少しだけ私より速いアルンの歩調に合わせることで、おどおどしながら歩いたりすることは防げていた。

「これだけ人がいるのに、争いの気配はない。この地を治める神が優秀なんだろうか」

「白の大地の国は大抵平和だと思うよ。戦いたい人がいたらコロシアムに行ってるだろうし。それも神のおかげだとしたらすごいなぁ」

神のことを考えながら空を見上げると、白の塔が私たちを見下ろしていた。白の塔は国が栄えるよりもずっと前から存在していた謎の建築で、神すらそれが何なのか把握していないという。でもこの塔の見た目の威厳は、そんなことが気にならないくらい威厳があって、大地のシンボルになっていた。

「うぅ、寒ぃ」

塔の周りの青空や雲を見ると、山の頂上から何もない場所を見下ろしたときのように、風を感じやすくなった。天気は良いが季節は真冬。視線を前に戻し、肌を晒した肩を両手で覆う。右肩にひとつアーマーはあるが、肌は出ているので寒いことに変わりはない。

「そんな格好をしているからだ。お前の装備は所々露出があるが、私からすると、それは欠点にしか見えないぞ」

呆れたように私を見るアルンは、顔と角、尻尾以外は何かしらの服や鎧で覆われている。流石にそれと比べられると見た目の頼りなさは否定はできない。

「良いの。おしゃれには我慢が必要なの」

なので、開き直った。

この装備はイリオスが作ってくれたものだが、最初に作ってもらったものからここまでの過程でデザインは変わっている。それは新しいのを作るたびにイリオスが私から感想や意見を聞いて、それを反映してくれているからだ。つまり今のこれは私の趣味だ。全身金属鎧なんかで歩くより、こっちの方が好きなのだ。

「理解しがたいな……まあそれで防御に支障がないから良いが。絶妙な金属配置で体を完全に守る、父の蒼竜の技術には恐れ入る」

「アルンは寒くないの？　この気温は黒の大地では考えられないくらい寒いけど」

聞いてから自分で答えに気付いた。赤竜騎士は得意顔をした。

「私を誰だと思っている。体は常に熱を帯び、この姿でも吐こうと思えば多少火を吐けるぞ。寒いならこの火竜の熱を感じさせてやろうか？」

「え、えっと、恥ずかしいからまたの機会に……」

「こうして歩く距離も近いのに、密着に今更抵抗があるのか」

なんで今になって恥ずかしがるのか、自分でも疑問なので返答はできなかった。別にアルンが怖いとかじゃないし、以前なら好奇心で飛び込んだ可能性もなくはない。周りの人がたくさんいるから、見られたくないとか？

アルンが足を止めたことに気付いて、少し遅れて私も止まる。

「レクシア、あの店は何だ？　魔法の触媒とかそういうものか？」

目を向けていた先は、武器や髪に付けるような装飾品の店だった。周辺の人や店に入る客を観察してみると、服や手にもそのような装飾をした人が見えた。

「私の羽みたいに力があるかもしれないけど、なさそうなのも置いてあるね。アルン、その店に目をつけちゃったなら、私の格好をどうこう言えないかもよ？　ふふっ」

「他の店より煌(きら)びやかだと、目に入るのも当然だ！　あぁ、だからそんな目で見るなっ」

焦る様子を見て良い気分になってきた。アルンの性格が少しうつってきたかもしれない。

「よし、もう少し近くで見てみよう？」

「し、仕方ない。見るくらいなら――おい、そんな急ぐこともないだろう⁉」

手を摑んで店の中へ。魔力のある物、武器に付ける物、非戦闘系の日常装飾などが、その種別、対応種族に合わせて分かれていた。結局私も楽しみそうだ。こういうときに豊富な選択肢を得られるのは、人間と同じ見た目の神族で、角も付けた私の良いところのひとつかもしれない。

品物のそばに、それをもらうために必要なゴールドの数字が書かれている。これは外に出る予定がないときから教わっていたので、かなり大事な常識だ。一部すごい値段がするが、戦闘能力のないものはほとんど安くなっていた。

そうして眺めていると、アルンもいつの間にか竜の棚で品物を見ていた。

――やっぱり興味ありそうだなぁ。その鎧だって、きっと人と関わるためにカッコいいデザインで作ってるんだろうし。

自分の炎だけで戦いたいだけかもしれないが、戦闘に役立つ装飾品ではなく、普通の装飾品を見ている。私はその姿を眺め続けた。

振り向いて私を見ようとしたので素早く半回転して見ぬふりをする。しばらくしてからまたアルンを見ると、別の棚に移動していた。

アルンがいた棚に向かい、その品物を見る。案外派手だったり豪華なものではなかった。

「レクシアは竜の装飾は間に合ってるんじゃないか？」

「わっ、アルンいたの⁉　……いいものあった？」

すぐにこの棚に戻ってきたアルンは首を振った。

「良いか悪いかの判断もよくわからないな。私は火竜としての姿を薄れさせたくないから、こういうのを見ても、装備しようとは……うん、やはり私には不要だ。レクシアが満足したら飯でも食いに行こう」

そう言って適当にぶらつき始めたアルンだが、その言動や表情に、いつもの堂々とした感じがないのはわかりやすかった。

「最初の一歩……だよね」

私は小声で呟いて、アルンが長時間見ていた棚を凝視した。私が人と話せなかったとき、アルンは先行して手本を見せたり、背中を押したりして助けてくれた。きっとそれをアルンは必要としてる。

「あの、これ、ください」

魔族の店員さんの白い顔がニッコリ笑う。今までのお礼、と言っていいかはわからない。ただ私も同じことをやりたいと思った。指定されたゴールドを置いて、小さくお辞儀してからアルンのもとへ。

「ねえ、アルン」

「ん、用は済んだか。手に持ったそれ、竜のだろ？　どこに付ける気なんだ？」

アルンの鎧は全部が赤い竜鱗というわけではない。それを繋げたり、支えるために金色の金属を少しだけ使っている。それと同じ色の、小さな球と球を繋ぎ合わせたアクセサリーを私は購入し、持っていた。

「アルンに使ってほしくて買ったの。これ、ずっと見てたでしょ？　私自身は、これをどこに使うかわからないんだけどね」

「私に……？」

困惑した表情だ。本当にアクセサリーに抵抗があるかのような困った顔だ。私は途端に不安になってきた。

「め、迷惑なら……！　別に、私が使うから……な、なんかごめんね……？」

俯くと、アルンが両手をぶんぶん振った。

「いや、そんなことはないぞ!?　確かに私がずっと見てたやつだし、嬉しい」

「本当……？」

聞きながら表情を確認すると、さっきの困惑顔は消えていた。

「ああ本当だから、そんな目で見るな……！　よし、これの使い方を見せてやる」

アルンは奪い取るようにアクセサリーを受け取ると、右の角に巻き付けてかけた。一瞬苦しい顔をした。

「強く絞めちゃった？　痛くない？」

「ハッ、おしゃれは我慢と言ったのはレクシアじゃないか。それにこうでもしないと、歩くだけで落ちてしまうしな」

そばにあった鏡までふらふらと移動するアルンを追いかける。

「水面のようなものだったよな、これは」

「そうみたいだね。――どう？　今の自分は」

どこか迷いのあったアルンの顔だが、それは次第に明るくなった。

「ああ、いいな。これは良い。ありがとうレクシア。これは今後も使わせてもらう」

それを聞いて安心した。勇気を出して良かったと、強く思った。

今、アルンが見せてくれた照れ笑いは、きっと私が幼少期に髪飾りを褒めてもらったときと同じものだろう。このアクセサリーは、アルンが一人の女の子であることを、見る人に教えるものかもしれない。

【3】真実を伝える情報

昼食にパフェという、果実などをふんだんに使った料理を食べた。あれは本当においしかったと、二人でまた来ることを剣に誓った。私のは杖だけど。

その後は図書館へ。

私はイリオスの知識から得る情報が頼りだったのであまり使ったことがない。入るとそこには、魔術師や研究者、また個人的に趣味とする者が所有するものという認識があった書物が、見渡す限りたくさんあった。見上げようとするとふらつきそうになるほど高い天井、階段を登った先でも同じように並べられた本棚。私はただ圧倒されるばかりだった。

緑色の髪で同じ色の服を着た、私の身長の半分ちょっとくらいの小さな女の子が、綺麗な動きで歩み寄ってきた。

「ようこそ。ここは、世界のあらゆる知を収めた本の都。貴女の未来に、良き光が訪れるよう、どうか、ごゆっくりご覧くださいませ！」

小声だがちゃんと届く、静かな図書館の空気に適した丁寧な声。恐ろしく賢い人間ちゃんか、見た目で判断できないほど長い時間を過ごしている魔族さんのようだ。人間と魔族の身体的な相違はあまりないことがあり、人によってはどちらかわからない。ヘカテーは耳が長く、装飾屋の店員さんは肌の色が人間には見られない白さだったので察することができた。

「あっ、これはご丁寧にありがとうございます……ここにはよく来るんですか？」

「私はロレーラ、ここで司書をしている者です。本と人とを繫ぐ役割を担っているので、この広い情報の海で知りたいことが明確にあるのなら、私が案内させていただきます——あなたはなんのために、知識を欲するのでしょうか？」

おぉ……と、圧倒されてたじろいだ。司書という単語は初めて聞いたが、その幅広そうな仕事内容を聞くと、とても子供とは思えなかった。きっと私よりよっぽど長く生きているのだろう。やはり、人は見かけで判断できない。

ここに来るまでにアルンには、ヴァラーグがこちらの大地に来ているのは報告済みだ。勉強目的で来たが、ヴァラーグの生態もわかれば次の移動場所を掴めるかも、なんて思ったりしたのだ。

常識が欠損しているかもしれないから、広く浅く世界の仕組みを知りたい――。なんていうアルンの無茶振りを、ロレーラさんは悩むことなく頷いて、案内してくれた。もうどんな要望も叶えてくれそうな気がしてくる。

私はそこで黒の大地出身の方や子供に混ざって知識を得ていった。途中、そろって同じ服を着ている、私と同い年くらいの人たちが何人か入ってきた。勇気を出してその中の竜人の女の子に声をかけると、学校という教育施設があり、そこの生徒なんだそうだ。私たちが読んでいたのは、学校が配付する教育書物の一種だそう。私たちはこの大図書館で、ほとんど学校じみたことをしていたのだ。そして小さな子供のための本もあり、どうしても騒ぐのでここだけ防音結界が張ってある。

ひょっとして私、子供扱いされた……？

「これ、学校に通わないとわからないくらいのことがいっぱい書いてある……私はある程度黒の大地の人より知識はあるけど、あの生徒たちからしたら、私も黒の大地の人と同じようなものなのかもしれないなぁ」

「施設に通わない方法で学ぶ者も多いそうです。そして私たちの魔術学校も、基本的に魔術の授業をするだけなので、全員が今図書館にいる私たちのように、進んで学ぶ意思を持っているわけでもありません。きっと知識量は同じくらいだと思いますよ」

机を挟んで正面に座る、さっき話しかけた学生のドラゴニュート――リンランさんが、身長の半分もある大きな翼をわさわさ動かして言った。置いた本の冊数や読むときの姿勢で、生徒の中でも特に勉強熱心なのは伝わってきた。なのでこうして邪魔してしまったのは少し申し訳ない。

アルンが大きな本を何冊も片手で持って歩いてきた。

「隣に座るぞ。その竜人がさっき知り合った学生だな、よろしく。その凶暴な黒き翼、太い尻尾。魔術で戦うよりも、近接戦闘技術や身体能力を鍛えた方が活かせるんじゃないか？」

首を振ったリンランさんの長い黒髪が揺れる。

「私のこの翼は、第二の脳として機能するもので、こう見えて戦闘に使うものではありません。戦闘をする貴女方(あなたがた)のために知識を与えることが、私の力であり、それも戦いのひとつだと思いませんか？」

「なるほど、確かに戦略指南などはありがたいかもしれない。だがまあ今回欲しいのはもっと文化的な情報だ。本は軽く目を通したが、私はこの手の作業が苦手なようでな。迷惑でないなら質問を投げ続けるぞ」

初対面の騎士にいきなりお願いされた学生さんは、お安い御用です、と笑った。知識を活かせるときというのは、こういうときかもしれなかった。

私も二人の話を聞いて、気になることがあれば割り込んで質問しながら本を読んだ。知識を効率的に得られ、この世界を理解できてきた。

特に面白かったのは、人間が発展させた建築、調理、服飾、鍛冶など様々な技術の中に、全種族共通語を広めたというものがあったことだ。私はイリオスの言語を学んだからアルンと話せるのに不思議はなかったけど、東方竜人の牙刀さん、人間のローランさんに冥界の方々と、常に言葉が通じたのはこうでなくては説明がつかない。人間が身体能力や魔力が劣った種族というのは間違ってはいないようだったが、発想力による技術体系でそれを補う。人間が最大人口種族として君臨する理由のひとつを知れて、学ぶことがずっと楽しくなった。

「学生さんが学んでる魔術は、魔法とは違うんだよね？　人間が開発した技術らしいけど……」

リンランさんと話すのも楽しくなってきて、ちゃんと声量は下げて会話を楽しむ。結界の強度はわからないし、結界の外では誰も話してないから不安になるのだ。

「本人が潜在的に持った力を放ったり、本人の能力で世界の理の一部を操る魔法を、人間は使えません。なので精霊に力を借りたり、周囲の空気中に漂う力を集めて、薄く残る神の血で超小規模な事象顕現を模倣する。それが魔術です。行使にはそれ相応の知識が必要になります」

「へぇーっ、じゃあ私のは魔法かな。そんな深く考えてないし、むしろ感情的だし。面白そうだから私も少し学んでみたいかも」

「私はこの、移動するだけで災害になるために神が動向を監視することになった災害指定エルダークラスや、魔物などを倒したときにその力を稀に得られる憑依継承なんかが興味をそそられたな。私もそんな存在になれたら面白そうだ」

文字は読めてなかったけど、隣で本を眺めるアルンも学ぶこと自体は楽しんでいるようだ。

「そんな存在になったら、人間と交流しにくいかもね？」

「あぁ、それは困るな。私はもっとこの街の人間と関わりたい。お前やリンランとも、もっとな」

右角の飾りをチャランと揺らして私を見るアルン。目が合って動揺してしまった。頷きつつも目を逸らし、その視線の先にいたリンランさんは私たちを見て微笑んでいた。

図書館の広間の外から、女の子の声が漏れてきた。

「これで街全部回れました！　図書館は『静かに』なので直接配れないし、ここにたくさん置いて、と……よし、今日のご褒美は何にしましょうかねぇぇ〜ぐふふ……」

外からすごい大きい声が聞こえた。けっこう怖い笑い方してる……。

リンランさんがそれに反応してゆっくり席を立つ。そして歩きだそうとしたのを、リンランとは違う色だが同じタイプの服を着た、髪の両サイドを結んだ竜人さんが手で制した。

私も環っかと羽飾りで似たような結わえ方をしているが、この竜人さんはショートヘアにそれをメインにした髪型だ。しかし尻尾のある種族の一部はその呼び方に違和感を感じ、ダブルホーンとかヘッドテイルとか呼んでるのだそう。

「新聞欲しい？　あたしが取ってくるからリンランは座ってて」

「あ、うん。ごめんね、ありがとう」

「いいっていいって」

リンランさんはまた座った。動きを見るに、自分の翼が重たそうだ。あの人はその配慮をしたのだろう。

「新聞というのは？」

アルンが尋ねる。リンランさんが椅子を机に近づけてから答える。

「政治などの動きや明日の天気の予想などの情報を書いた紙です。それを書いて各地に配る新聞記者が数人いまして、記者によっては身近な楽しい話も書いてくれてるので、見ていて面白いですよ」

「なるほど。本では得にくい、今現在の情報が得られるわけだな」

「そういうことです。天気の予想は、それを司る神が予言するか、災害指定が来ない限りほとんど当たらないので参考程度にしかなりませんけど……」

「記者さん頑張ってるね。ここを徒歩で回るなんて……」

私が驚いていると、さっきのツインテ竜人さんがこの集まりに参加してきた。

「ここだけじゃないよ、蒼の騎士さんっ。あの記者さんたちは白の大地全域を巡って情報を伝えてるし、たまには黒の大地に調査がてら新聞ばらまいてるらしいよー？」

「す、すごい……」

「ミンリーちゃん、みんなが座ってるからそれだと目立っちゃうよ。はい」

リンランさんが隣の椅子を引いて、そこにミンリーちゃんがお礼を言って座る。柔らかい黄緑色の尻尾を背もたれの穴に入れる。

「はい、新聞到着。あたしはミンリー。リンランとは親友だよ」

堂々と親友と言える仲のようだ。私とアルンと同じように、ここでも色んなことを経験してきたのだろう。

ミンリーちゃんが机の中心に置いた新聞を開く。真面目な情報の中に、街でおいしかった店の料理の感想なんかも書かれている。行きたい。

「ん……？　初挑戦、大地返し階段建設の試み……」

気になった見出しを思わず声に出す。狭間の大階段の話題だ。崩れそうな場所の補強や修理をすることしかできなかったが、近日中に一から新たな階段を作り、様々な目的で使用するとともに、成功の暁には今後も場所を増やしていくと天軍が発表したようだ。

「良いところに目を付けましたね。これは今回の新聞の中でも大きな情報でしょう。ついに天使様は重力の仕組みがわかってきたんですね。二つの大地やそこに住む種族の交流は盛んです。ここでも有翼竜人の私を含め、平等に皆さんが過ごしているので、異種族交流の機会を得やすくなるのは良いことです。商業なども回しやすくなるでしょう」

リンランさんが解説を補足してくれた。確かに良いことだ。

しかし隣のアルンはそれを聞いて顔をしかめた。その唸る声で三人がアルンを見る。

「待てよ、それは果たしてメリットだけか？　街なら種族も平等とはいえ、その外の天使や悪魔は今も争っているし、国同士の争いもあったんだろう？　私の故郷のそばにあった、ボロボロの階段から出入りする奴らは争いのためにやってきて、階段を出たらすぐに武器を構えた。建設する場所によっては戦争に使われるし、この建設が黒――冥界にも伝わっている確証も今はない」

ハッとして記述を探す。あった。建設場所は――

「北の……これ、岩山近くの大地の端って……！」

ミンリーちゃんがポンと手を合わせる。

「なるほど、賢い天軍！　そこは栄えた街もないし動物も住んでないらしいから、建設実験や、もし戦争があったとしても――」

「そこはだめっ⁉」

机を両手で叩くように押して立ち上がって、私の体はどこかに走ろうとした。結界内の皆さんが一斉に私を見る。あぁ、やってしまった。ここではうるさすぎた。

特にロレーラさんが怖い。ロレーラさんは結界の外、別の階の離れた場所にいたのに、顔をこちらに向けてきたのだ。その後ろにヘカテーの冥犬と同じような、半透明の騎士が見えた。その騎士は宙に浮いていて、今すぐにでもこちらに飛び込んできそうだ。

いや、飛び込んできた。司書さん本人が。どういう理屈か、浮いてきたのだ。

「すみません、事前説明が行き届いておりませんでした。防音結界内でも、大声は私に限っては届きます。さらに言わせていただきますと、この結界内でも図書館の風紀は乱さないようお願い致します。もし、再び貴女が図書館を荒らすなら、私たちの総力をもって、ご退去願おうと思っております」

小さな可愛い見た目はそのままで、表情と声音が別物だった。私たちの総力、というのは、後ろにいる幽霊みたいな騎士たちであることは容易に想像できた。自分より身長の低い女の子に、神器と相対したときと同じくらい恐怖した。

「ご、ごめんなさい……」

頭を下げて椅子に座り直す。ロレーラさんは表情を戻して、さっきの場所に戻っていった。竜人学生の二人は心配そうに私を見ていた。やはり話すこと自体がご法度のようなので、さらに声量を下げる。もう一度ロレーラさんの気配を感じたら、ここでの会話はやめよう。きっとロレーラさんは、図書館のためなら血だって流す覚悟がある。あの目はそんなことを表していた。きっとそうだ。うん。

「あそこに人間はいる。麓の森の中に小規模な、集落みたいな村があるの。きっと天軍は森としか思わなくて見つけられなかったんだ」

イリオスのことは話さなかった。険しい岩に囲まれて内部が見えなくなった聖域。あそこは争いの後、誰とも関わらず平和に過ごすために、イリオスが存在を隠しているのだと思った。そうでなければ、あんな大きな体に大きな力、天軍に見つからないはずがない。

「そうだったんですね……でも安心してください、その場所を拠点として建設をするならばきっと見つかります。そうしたら、天使様はその方々を法と秩序に守られたこの国に入れてくださるでしょう。天軍はいつだって、私たちを守るために戦っているのですから」

リンランさんの話にミンリーちゃんも頷く。

残念ながらそれもだめだ。あの麓の人たちは天軍の統治――法と秩序の世界を嫌って自由になるためにあそこに移り住んだ。なら天軍が自分の国に迎えようとしても、麓の人たちは望まない生活を再び過ごすことになるし、最悪歯向かって戦うかもしれない。

「私、それでも止めなきゃ。あの山を戦場にはさせない。あの裏側は冥界に近いから、きっと戦いは避けられない。だからこそ、その場所にあった階段ははるか昔に崩れて、もうなかったんだと思う」

「動くか。ついていくぞ。どうする、街の天軍を探して交渉でもするか？」

アルンが頬杖をついてニヤリと笑った。

「えぇ、それは良くないよっ!?　ええっと、だって……さ？」

ミンリーちゃんが慌てて両手を振る。リンランさんがその様子を見て微笑んでから補足する。

「私たちも含めて、大衆から見れば良い方向の内容です。一般人二人だけの意見に、天軍が了承するとは思えません。さらに、この街や国を守ってくれている方々に悪く思われるのも、あまり褒められたことではありませんよ」

「他の村への強制的な介入が、堂々と行われようとしているのにか？　最近とある王国も襲われ、神に占拠されたと聞いたぞ」

私の言いたいことをアルンが先に言った。リンランさんは表情を変えない。

「平和のため、やむなくだったと聞いています。その王国には天軍が統治する国に良くない顔をする民が多く、戦の危険があったそうです。これに関しては私も賛成とは言いませんが、お互い、自分の国の民を守ることが最優先ですから」

滅びた王国の残党と関わった私たちは、この話を聞いても悔しさが湧くばかりだった。

「ごめんなさい。お二人の言いたいこともお察しします。ですがその天軍の統治によって、この豊かさゆえに覇権争いの絶えぬ大地の中で戦えない、たくさんの人たちが救われていることも、忘れないでください」

アルンが立て掛けた剣を取り、立ち上がって私を見る。もう行こう、動こう、と。

「様々な情報、助かった」

アルンが歩きだす。私も立って頭を下げた。

「また会えたら、一緒に何か食べに行きたいな。ありがとう」

「ええ、また」

「さよならーっ」

小さく手を振るリンランさんと両手をぶんぶんするミンリーちゃんを見てから、両手で杖を持ってアルンについていった。後ろから少し声が聞こえる。

「ミンリーちゃん……私、あの人たちを怒らせちゃったよね……」

「大丈夫、大丈夫だよ。平和の陰の面も、きっとあの人たちは理解してくれてるよ」

心の中で苦しんでたのに、私たちに包み隠さず話してくれたんだ。そんな人に、私たちは怒りなんて向けないよ。

窓から少し、雪が見えた。その曇り空は世界を暗くしていたが、人々は雪だけを見て、賑わっていた。

——あ、ヴァラーグの生態、調べられなかった。

【4】帰省と再会

「おお、見てみろレクシア、雪だ！」

少し先に図書館を出たアルンが天を仰いでいた。

「そうだね、久々な感じがするなぁ……まだ積もるほどじゃなさそうだけど、今後あり得なくはないかな」

「大歓迎だ。この時期しか見られないなら、ちゃんと見て触れておくべきだろう」

街を歩く。周りの皆さんも雪を見てはしゃいでいた。

「冬の魔女の再来だー！」

「今年は何度も来てくれるのね……！　綺麗……！」

どうやら冬の魔女という方が雪を降らしているらしい。イリオスは神が雪を降らすと言っていたので、関係性が気になるところだ。または、冬の魔女がもう、神と同列に語られている可能性もあると思った。守護神イリオスも一応、竜族だし。

「戦えない者を救っている……それはこの民を見ればよくわかるな。どうする、レクシア。恐らく交渉はできそうにないが、私たちが天軍やこの国の民に歯向かう行動をどう行う？」

そう言われると一瞬自分の意思が揺らぎそうになるが、すぐにその枷(かせ)を振りほどいて考える。

「……交渉ができないなら、もう、ひとつしか浮かばないよ……」

「戦いだな？　私は望むところだぞ。山に先行することを提案する。もし最後まで交渉がしたいなら、理由がすぐわかる現地の方がいいかもしれないし、私もあそこに行ってみたいしな」

同じ考えだった。アルンも山に興味があるのは知らなかったが。

「わかった。じゃあ行こうか。流石に遠いから、何か移動手段が欲しいけど」

移動手段を探すため、とりあえず街の外まで出てみる。アルンがある小屋を指した。

「期待通り。あれは乗り物だ。どちらの大地であろうともそうだったんだな」

あれは一角竜という、文字通り一本の大きな角と、銀の鱗が特徴の二足歩行の竜だ。前足は短く、元から地に着くためのものではないので、後ろ足二本による速さはなかなかのものだという。

数体がこの小屋でじっとしているので、飼い慣らされているのだろう。

小屋の中で一角竜のそばでゴールドの枚数を数えていた、褐色肌のショートヘアの商人さんが跳ねるように立ち上がってアルンに近寄ってきた。角は被り物のターバンで見えないが、アルンより滑らかな赤い尻尾が竜人であることを示していた。この街はやっぱり、人間以外も多く暮らしているようだ。

「おぉっ、そこの赤騎士の竜人さん、お目が高いね！　一番立派な奴だよ、この子は！　ささ、そちらの蒼い騎士さんも見てって見てって？」

立ててあった看板の文字を見る限り、本当に乗り物として使っているようだ。ゴールドで借りて、そしてこの小屋に返しにくるのだ。

「ちゃんと動けます？」

一応確認すると、竜商さんは笑って私の方へ移動する。

「大丈夫！　試しに新しく始めたばっかりの事業だけど、今の時点でもう何人も利用してて、ちゃんと行けたし、ちゃんと帰れたって評判は上々、素晴らしい需要。やっぱりこれは稼げると思ったんだよ～！　ささ、んじゃあ借りていきます？　借りていくよねっ？」

グイグイ迫られて、私は苦笑しながらも応対する。

「あ、あはは……そう、ですね。アルンもそれでいいよね？」

「ああ。馬や鹿みたいに高い値段じゃないならな」

竜商さんが向きをそのままに下がって、一角竜の隣で止まった。そしてまたゴールドを数え始める。

「別に買うんじゃなくて借りるだけだからね。一万ゴールドでどうかな？」

高い……まあこの業界じゃ妥当なのかな……なんて思ったら、竜商さんの手の動きが激しくなった。

「いや待って、馬や鹿より安くなくちゃいけないよね。一日で七千、それ以降時間かかったら七千追加、どうだっ！」

急に安くなった！　ひょっとしてこの人、馬と鹿を借りるときより安くしないと借りないぞ、みたいに捉えたんだろうか。だとしたらちょっと抜けているところがあるかもしれない。

アルンが一度設定された金額より安くなったことで満足して、一角竜に近づいて触れた。

「決まりだ！　その精神気に入ったぞ！」

「お買い上げ感謝ぁ！　序盤に大事なのは評判。用が済んだらこの事業の宣伝でもしてくれれば、こっちに利益はあるってものだよ！　アタシはクロリス。この名前を広めるだけでもこっちは大助かりだからよろしくっ」

盛り上がってきたので、私もこの金額に決めて、クロリスさんが手で誘導した小さな机の上に七千ゴールドを載せる。

その瞬間のクロリスさんの顔はとても嬉しそうな――金に飢えた顔をしていた。

一角竜に近づき、その目を見ると相手も私を見た。目線は同じ高さだ。私は大きな竜に囲まれて過ごし、身長が低いと感じて足装備のかかとを高くしていた。

しかし当然、イリオスや子竜はその程度では比較にならないほど大きいので、ハイヒールの効果をアルン以外の竜族相手に感じられたのは今が初めてだった。見下ろされたりしないことに嬉しくなった。

よろしくと言って微笑んで、体を優しくポンと叩いてから、一角竜にまたがる。竜の身体は街の外の方角を自然と向いた。アルンも隣で準備ができている。クロリスさんがその二頭の一角竜の間に立った。

「背中に小さい翼があるでしょ？　それにはあまり触らないでね。操作は簡単、暴走しなきゃ口の指示で動くからね。あと速度は馬や鹿より速いからしっかりね。さあ注意事項はここまで。いってらっしゃーい！」

クロリスさんが手を振って下がり、視界から消える。その後小さな衝撃。

「イェーーァ!?」

一角竜が楽しそうに叫んで走り出した。

「きゃあーっ！」

想像以上の速度だ。振り落とされないように足に力を入れて、取り付けられていた紐(ひも)を強く握って、体勢を低くした。

「よーし良い子だ！　さあ北だ、北へ進め！」

「ヤァーーー！」

アルンはもう紐を片手だけで握って、背中にあった剣を手に取る余裕すら持っていた。

二頭の一角竜が、コロシアムのそばを通り抜けた。狭間の大階段の柵と同じ石で作られた、あれよりもっと高いそれを見て、アルンは楽しそうに笑っていた。

気になる村や建物を何度も通り過ぎて、アルンとそれについて話し合う。でも寄り道はしない。私がここまでの道のりで強くなったのは、今真っ直ぐに聖域を目指すためだ。


世界が暗くなってからしばらく。もう深夜と言っていい時間かもしれないが、一角竜はその速度をほとんど落とさずに走り続けていて、竜族の体力に驚かされた。

むしろ乗員の私が休憩するべきとアルンは言ってくれた。でも、雪が降り続いていて、寝て時間を過ごすと雪が積もって、一角竜の走りが安定しなくなるかもしれないと言って断った。実際はそんなことはなさそうな小雪だったが、勢いが強まるかもしれないとか、体を冷やすからとか、早くイリオスに会いたいとか、理由はいっぱいあった。

「目的の山や森が見えてきたよ。麓の村の人が寝てるかもだし、光は消して、速度を落とそうか」

竜に乗るのに慣れてきた私が片手だけで使っていた、杖の光魔法を解除した。アルンのそばにも出していた光も消す。クロリスさんには後で、一角竜の首にでも提げるランタンなどの用意をしてもらった方が、今後の客のためにいいかもしれない。

竜が森へ入る。空の光が木々の間から漏れる。速度を落とすよう指示して、迷わないように一直線に歩く。

途中、木がなく、光がそのまま地まで降る場所があり、そこを通ろうとした二頭の一角竜が突然動きを止めた。空を見上げているようなので私たちも同じように見ると、そびえる雪の岩山から飛んでくる、大きな蒼い竜の姿があった。その竜――イリオスはこの木のない場所に降り立ちながら、大きな口を小さく開く。

「ここは大地の端だ。用がないのなら立ち去れ。我が聖域を荒らす前にな……」

その本人にとっての小さな声による威圧は、私たちの耳から脳を震わせ、一角竜を黙らせるには十分だった。

アルンもその姿をただ見て、その圧を感じていた。唯一すぐに動ける私が、一角竜から降りて聖竜に歩み寄る。

「ただいま、お父さん。大丈夫。このみんなは私の友達や仲間たち」

イリオスがその高い首を、外から見て森の木に隠れるくらい下ろした。羽が重なり集まった翼が下がり、この木のない空間を覆った。

「おお、レクシアか。元気そうで何よりだ」

「私もお父さんが元気そうで安心したよ」

開いた手をイリオスに向けると、イリオスはさらに首を下げて、顎を手に乗せた。長い角が私の肩の近くに来る。

「元気には元気だが、お主が近くにおらんのは心配であったぞ。様子を見に聖域を飛び出すことを一瞬でも考えてしまうあたり、どうやら儂の方が子離れできていないようだ」

「もう、お父さんったら」

私は少し背伸びして目を閉じて、イリオスの頭の一部を両腕で優しく包んだ。そこには首や背中のように、柔らかい毛は生えていなかったが、その大きな体の温もりは、小雪の降る世界の中で私の心を温めてくれた。

そんな時間が続き、雪が肩に落ちてふと気付く。アルンたちをそっちのけで話してしまっていた。体を離して後ろに振り向く。

「ご、ごめん。紹介するね。この竜が私のお父さん、賢蒼竜イリオス。お父さん、この人が私とずっと旅をしてくれた、騎士のアルン」

既に一角竜から降りていたアルンが腕を組んだ。

「月明かりや雪も含め良い光景で、思わず見入ってしまった。話には聞いていたが、まさかこんな神が如き竜が捨て子を拾ったとはな」

イリオスがアルンの姿を眺める。

「種族の違いなど意味はない。お主もその姿で過ごしてわかったことだろうがな」

「ほう、流石だな。私の正体を見破るか。これは期待できそうだ」

アルンが目を細めて笑った。私は首を傾げた。期待ってどういうこと？　と聞こうとする口と体は、冬の夜の寒さでぶるっと震えたことで止められた。

「夜も遅いし、ここは寒いだろう。皆、儂の子供たちとともに休むと良い」

そんな私を見たイリオスの配慮に感謝した。話し合わなくてもアルンたちは聖域に入れてくれるようだ。アルンが拳を握って喜んだ。

「ありがたい。まあ元からそのつもりで来たんだがな」

イリオスの巨体は、私とアルン、一角竜二頭を乗せて飛び立った。雪が積もった高く険しい岩山は、その危険さを忘れさせるように、月に照らされて輝いていた。

【5】雪の星空の下で

見慣れた景色に安心感を感じた。

そのさらに頂上付近は標高が急に高いように見える、天を突く岩山。高い高い空の上から見ると、その頂上内部は草木生い茂るイリオスの聖域だ。

そこに入った私たちは、まず慌てる一角竜を落ち着かせる必要があった。

もうひとつ、私のために作ってくれた横穴があるので、私たちの意思で出ることもできるから安心だと伝える。

子竜たちに挨拶をしたいところだったが、時間も時間、ぐっすり眠っていた。

そこでようやく本題の、この場所が戦場になってしまう恐れを伝えた。

「そうか……わかった。儂がしばらく警戒を続けよう。二人はもう寝ると良い。深夜を過ぎて早朝になるのも遠くないぞ」

イリオスはそれだけ言って、聖域全体をもう一度調べるべく歩き始めた。

「恐ろしく冷静だな」

アルンが呟く。

「寝るつもりがなさそうな感じがする……ちょっと、不安かな……」

それに私が言葉を加えた。表情も声音も大して変わらない竜だから、今冷静かどうかは断言できない。イリオスに対してそんな心配をしてる、私が焦っているだけなのかもしれないけど。

「私は、父上にちょっとした用事があるから、レクシアは先に寝てていいぞ」

アルンがイリオスを父上だなんて呼んだのが面白くて、つい頬が緩んだ。

「その用事が気になるから、私もしばらく起きてるよ……ふぁ……ぁ」

「眠そうじゃないか。あと二回欠伸をしたら、すぐに寝てもらうぞ」

「そんなぁ……ぁふ……」

「これはだめだな」

「い、今のはさっきの欠伸の続きだから！」

「そのくだらない判断は私が行う」

ちえっ、と、わざと言って体勢を変えて座る。アルンも、初見の印象より広い聖域の全体図は理解できてておらず、イリオスを待つしかなかった。

「ここまで暗くなると、星や月の光がよくわかるな。黒の大地の赤い光よりずっと明るい。レクシアはこれをずっと見ていたんだな」

アルンが天を見上げて呟く。私も同じように空を見上げる。街と違って街灯などがないため、空の輝きはよくわかるだろう。ずっと上を見続けていると、山の中というのを忘れ、星空の中にいるような感覚にすら陥る。

黒の大地で空を見てから、アルンにずっと見せたいと思っていた景色。それをやっと見せることができた。

「そうだね。たくさんの光る星、あれはどういう仕組みで光ってるんだろう」

「レクシアも知らないんだな。また図書館で調べてみるか。まあ神の恵みのひとつ、みたいな結果で落ち着きそうな予感がするが」

「私も星の光、出せるようになったし……確かにそんな感じかもしれないね。神々に感謝するためにも、世界のことをもっと知らないと」

「お前を山に捨てたかもしれない奴らに、心から感謝するのか？」

「捨てたんじゃなくて、置いてくれたんだと今は思う。ここまでの日々は、本当に良いものだったから」

空に手を伸ばす。山が高いからか、周りに何もないからか、本当に手が届きそうな星だ。降ってくる雪が手に乗って溶けた。その手を握って下ろす。目の前で開く。

「ふふっ、何もないじゃん。やっぱり眠たいのかも」

曲げた片膝に手を置いて座るアルンが私を見ていた。

「いや、それはお前の、貴重で面白い発想だぞ。そういうところが気に入ってるんだ」

同じように手を伸ばし、握るアルンが微笑んだ。

「これは本人の気持ち次第だ。私はちゃんと、この星を摑んだ」

「アルンのそういうところが、私も好きだよ」

そのとき、流れ星が降った。アルンが急に慌てたように、自分の手と空を交互に見た。

「ん？　ん……⁉　レクシア、今の見たか⁉」

「アルン、本当に摑んで落としちゃったね」

「えっ、いやでも、私の手には何も……」

「あれはね、流れ星っていうの。たまにだけど、普通に起こる現象だよ。ふふ、ふふふっ！」

「おい、初見の私はすごく驚いたんだぞ。レクシア！　笑ってるんじゃない！」

アルンもそう言いながら、私につられてくすくすと笑い始めた。流れ星の神は、願いを叶える能力を持ってるとか持ってないとか。私はアルンと今後もずっと、こんな時間を過ごしたいと願った。

イリオスの足音が聞こえてきて、会話が終了したからかつい欠伸が出てしまった。言われた通りそろそろ寝よう。

「じゃあ私は寝るけど……アルン、用事の内容だけ教えて？」

私に合わせてアルンは立ち上がって、剣と逆の方向に背負った、キュクロプスの部品を持ち上げた。

「私はレクシアと同じ技術の装備を作る。父上の装備製作の瞬間を見たいのもあるから、この部品を素材にできないか頼んでみるんだ」

「研究に使うって話は……？」

「自身で使うのが、私なりの研究の方法だ。異文化に直接触れたいという興味もある」

いつもアルンは、私には思いつかないことを思いつく。私なら危険だと思ってしまっただろう。まず動いていない部品なんだし、そんなことはないはずだけど。

「なんだ、まだ寝ていなかったのか」

イリオスが巡回を終えて到着した。

「イリオス、と呼ばせてもらう。私はひとつ用事があるから、良ければ付き合ってほしい。あと、もし警護で寝るつもりがないなら、私が代わりに警護するから少しは休め」

「なるほど……良いぞ、申してみるがよい。レクシアはどうする」

「私はちょうど、今から寝るところなの。アルンも後でこっちに来てね。二人とも、おやすみー」

挨拶が返ってくるのを確認してから、私は子竜に向かって歩きだす。

私がいなくてもアルンはあんな風に会話ができるんだ。きっと仲良くなってくれるだろう。少し遠慮がなさすぎる気もするけど。

子竜たちは、私たちへの対応でイリオスがいなくなっていても、もう体は温まっているようだった。その中にそろりと混じって横になる。その毛のくすぐったさも、下の草の柔らかさも、懐かしい感じがした。

「みんな、ただいま……」

目を閉じると、その変わらない温もりが全身を満たし、数秒足らずで夢の世界へ誘われた。

四章　天の銀嶺（ぎんれい）

【1】天に仇なす者

子竜たちが騒いだおかげで、遅く寝ても朝に起きられた。

私が目覚めたのを確認すると、近くにいた子竜たちが離れた。仰向けで空を見る私の視界に、天を舞う雪がこちらに降ってくるのが見えた。昨夜よりもひとつひとつが大きく、その数も多い。

上半身を起こして伸びをして、両隣にいた子竜を交互に見る。

「あなたたちももう、お父さんみたいに雪から私を守れるのね……成長したのは私だけじゃない、ってことかな……」

「キャッキャッ」

喜ぶ子竜たちと私のもとに、イリオスが歩いてきた。

「おはよう、お父さん。雪、けっこう降ってるね」

「目が覚めたようだな、おはようだ。その雪のせいで、用意した朝食が白くならないうちに食事をするといい。まあ先ほどまでは、儂が傘をしていたが」

「わかった。ありがとう、お父さん」

頷いたイリオスはすぐに飛び去った。私も立ち上がって、歩きだした。積雪量を確かめるように地を踏みしめて進み、その先ではもうアルンが野菜を口に放り込んでいた。この聖域に人間がいるのを私が見るのは初めてで、新鮮だった。

「おはようアルン。どう、おいしい？」

「レクシアか、おはよう。確かに美味いが、今日はさっさと放り込んどけ」

「ん、どうして？」

削って椅子サイズになっている岩に座って、食事の挨拶をしてから石皿の野菜を食べる。皿というもの自体は、私が食べにくいと意見してからイリオスが新しく作ったもので、前まではなかったそう。

アルンが今している表情は、食事のときの楽しそうな顔ではなく、エリュマントス襲来のときのような真剣な顔だった。

「イリオスが飛んで行ったのは聖域の外だ。——イリオスは私を起こしてから、もう天軍が、近くまで来てると言ったんだ」

「そんな状況でも朝食は作ってくれたんだ……」

「腹が減ったらバトルはできないからな。剣の打ち合いでも、言葉の掛け合いでも」

そう聞いた私も急いで野菜を食べる。子竜が騒いで、二体以外いなくなってたのはそういうことだったんだ。

朝食を終えて挨拶を済ませ、子竜たちを走って見に行くと、その子たちはイリオスの工房近くで集まっていた。

「行ってきます。待っててね、今回は私が、あなたたちを守るから」

そしてアルンを案内するように聖域の出口へ。穴を抜けて外の世界が見えてくる。山の岩は雪で完全に隠れ、今なお降り続ける雪と太陽光で白銀色に光っていた。とても危険だが、美しい光景だ。子竜の温もりも冷めてきて、今更すごく寒くなってきた。

その先――まで目を凝らす必要はなかった。あの天使や人間の集団――恐らく天軍は既に森を素通りし、銀嶺に足を踏み入れようとしていたからだ。彼らには翼があり、今でも何人か飛んでいるので、わざわざ山登りをする必要もないかと思う。しかし階段製作の工作兵は人間のようで、その進軍に合わせていると思われた。

「事情は知っている。だがこの先に接続施設を作らせるつもりはない。悪いが他を当たるといい」

遠くのイリオスの声がここまで響く。アルンが剣を担ぐ。

「よし、行くぞレクシア！　うぉっ、あ――！」

アルンが雪の中を走り込んで派手にひっくり返ったので、私はダッシュして滑り込み、アルンが頭を打たないように守った。

「アルン、雪は滑るんだよ、危ないよ」

「それを早く言え……まあここまでで知る機会はあったか。助かった」

起きて手を差し伸べる。立ち上がったアルンが剣を上に向けて構える。

「ならばこうだな？　下は岩だから、燃やす心配もないしな――バーニングブレイド！」

燃える剣を振り下ろすと、地面から一直線に進んだ炎が雪を舞い上げて溶かした。少し氷が残っているが、移動の支障はないくらいだ。

「流石だねアルン！　よし、行こう！」

雪の世界の割れた狭間を駆け下りる。たまに山本来の危険な傾斜が来るので、私が先導して冷静に下山していく。半分くらい下りたあたりで、麓のイリオスが膝を曲げて倒れた。天軍が進行を再開する。

「お父さんっ！」

「ダメージを受けたような戦闘音も一切なかったぞ。どういうことだ？　背後を取られて挟まれたと考えるのが妥当か……」

後ろを歩くアルンが冷静に発言する。

「考察は後、今はすぐにでもお父さんの様子を確認しなきゃ！」

「まずは近づく天軍からだ。焦らなくても脆(もろ)くないだろう、お前の賢蒼竜は」

苦しくも頷いて下山を再開する。確かにアルンの言う通りだ。

天軍が近くに見えた。相手もこちらの方角に進んでいたため、途中から距離がすぐ縮まったのだ。雪の岩山の中を進む十数人の天使と、その後ろに十数人の工作兵。その先頭で長い黒髪をなびかせて指揮を執る女性の天使の前に、私たちは立ち塞がる。

「止まって！　ここから先は進ませない！」

できる限りの大声で天使全員を止めた。先頭の天使が手に持った地図を部下に渡し、代わりに足に装備した剣を抜いて向けてきた。

「私は天軍の将、ゼルエル！　これは四大天使様からの正式な任である。そこを通してもらおうか！」

背中の大きな四枚の翼が太陽光で輝く。太陽にも雪にも神の加護があるようなので、その祝福を受けているのだろう。――冬の魔女がどうなのかは、わからないけど。

先日読んだ本によると、天使の翼は基本、竜と同じ二枚だ。しかし高位の存在は最大六枚まで持つ者がいるようで、その力は高位の神に匹敵し、事象顕現だって扱えるのだそう。目の前の天軍の将の四枚の翼は、その知識から考えて中間。一般クラスの神々と同じくらいの力と事象顕現を扱えるということになるだろうか。神族自体が高位の種族だが、こうなると私が種族的に有利、なんてこともなさそうだ。そしてあの剣、両手剣のアルンほどではないが、それに匹敵するくらい大きな片手剣だ。きっと筋力も相当あると思われる。一切油断ならない。

剣を突きだされることで発生する圧に負けないように、杖を握って叫ぶ。

「通さない！　相手が誰であっても、私はここを戦場にはさせない！　どうか平和に、穏便に、剣を納めて……！　私は戦いたくなんてないの……！」

「ほう、この任の詳細に気付いている者がいるとはな」

ゼルエルがそう言ったことで確定した。戦争の意思が、天軍にはある。イリオスも倒されたし、交渉の余地はないと思う。

「工作兵だけでいいはずなのに、天使が護衛にしては多すぎるし、装備が豪華だ。戦争の意思があると考えるのは自然だと思うぞ？」

アルンが空を飛ぶ天使を眺めながら言う。ゼルエルは全く怯まない。

「そこまで理解していて、何故止めるのだ。この作戦は冥界に間違いなく大打撃を与え、今後見こされている継続的戦争をなくし、真の平和を作り出すことを考えてはいないのか？」

リンランさんに言われてから、それはもう考えていた。これを止めるというのは、きっと他の地域での戦争を生んだり、即座に終結するはずの争いを続けてしまうことになりかねないと。でも、私はそれでもここに来たんだ。それを踏まえて考えた上で、私はここにいるんだ。

「それでも、私はあなたたちを止める！　それでたとえ他の戦場を生んでしまったとしても……私は、ここを戦場にしたくない……！　私は、天軍と敵対する！　ここを守りたいから！」

リンランさんやローランさん、他にも会ったことのない人をこの判断で苦しめるかもしれないということを理解しながらも、必死に叫んだ。誰から恨まれようとも、私が守りたいのはここなんだ。全てを守ることなんてできないから、泣く泣く選択したのだ。

アルンもいつも通り、それに続いてくれる。

「天軍は失敗の可能性を考慮したか？　もし負けたら、周辺に大自然しかなく、防衛設備や国のない新生階段から悪魔や魔族がなだれ込み、白の大地を侵食しかねないぞ。私は天軍の強さなんて信じてないからな。それを恐れている」

ゼルエルがアルンに向けた剣を別の構えに変えた。きっとこれは、踏み込みの構えだ。やっぱり、争いは防げないんだ。

「良いだろう。ならば我が力を示すことで通してもらう。この任の前に剣を授けてくれたミカエル様は、きっと私を試してくださっている。そう易々(やすやす)と退くわけにはいかないのだ」

ゼルエルは足のふくらはぎの二本以外にも、もう少し上の太ももあたりに、金色に輝く剣を装備していた。きっとそれがミカエル——七罪と並んで有名な四大天使からの贈り物なのだろう。

「参る！」

ゼルエルの踏み込み。速い！

「私からだ！」

アルンが突進し、その剣速を見切って弾く。私も魔法を準備する。横に斬りつけていたゼルエルの右腕が剣を握りながら上に弾かれ、ゼルエルはその衝撃を流すように横に回転した。

アルンはその上に掲げられた右手の剣を再び防ごうとするが——

「一本ではないぞ！」

横回転中に足から抜かれたもう一本の剣が左手から伸び、アルンの脇腹を横殴りした。

「ぐぅあっ！」

「その隙！」

アルンは横に飛ばされたが、その間に私は準備していた光のつぶてをゼルエルに放った。

「言ったはずだ——フッ！　……剣は一本ではない！」

しかしそのつぶては、弾かれた衝撃から解放された右手の剣を振り下ろすことで砕かれてしまった。

一人の二本の剣が、二人の攻撃と同等に渡り合い、しかも一人は負傷した。強い。

「げほっ……まだいけるぞ、レクシア！」

ゼルエルから目を離せなかったが、アルンの声を聞いて魔法準備を再開する。声の方向と自分自身に防御魔法をかける。

「今度こそ！　ホーリーシールド！」

「時間稼ぎのつもりか！」

ゼルエルの踏み込み斬り。シールドで私も一度は耐えられる。杖で右手の剣を防ぎ、その隙に竜の羽を構える。

「セルリアンスレイブ！」

「杖が近接武器だと!?」

最近気付いたのだが、セルリアンスレイブは厳密にはセレスティアルレインと同じく、力を強化するだけの技だった。それに刃が加わるのは、私自身の力と連携した結果のようだ。なので技を発動した際に放つ力は、相手には近接技と察することができない。ただの竜の継承スキルだからだ。

ゼルエルの右の剣を押し出すように弾く。反応が遅れたゼルエルは左手の剣を出すことができなかったようなので、そのままこちらから踏み込む。

「せいっ！」

「ちっ――」

バックステップで回避したゼルエルの背後には、狙い通り炎が待っていた。

「燃えろ、我が竜鱗よ」

「神域のゼストリア！」

ゼルエルは驚きの反応速度で両手の剣を背中に回して、回復スキルを応用して防御を試みた。魔法より力が強め――つまりこれはゼルエルの事象顕現だ。だがそれは今なら、低位の魔法より効果がない！

「焔の逆鱗！」

アルンの炎が事象顕現を打ち破り、剣のみでの防御となった。結果完全には防げず、前方に大きくよろめくゼルエル。やっと本当の隙ができた。

「セルリアンルーセント！」

杖を向け、光を放つ。アルンは余裕を持ってサイドステップし、巻き添えを防ぐ。竜の羽の力はさっき準備していたので、この技も即座に使えるのだ。

「くうぅっ――――！」

正面から聖撃を受けたゼルエルが大きく吹っ飛び、雪の岩を滑って止まる。キュクロプスでさえ怯んだ攻撃、天使なら四枚翼とはいえ大ダメージだ。もう少し早く撃っていれば、アルンの逆鱗との挟みうちでコンボになったが、なくても十分だ。

「総員……放て！」

倒れたままのゼルエルが指示を出すと、静観していると思っていた天使が、地上からも空中からも矢を放ってきた。その高速、きっと実物ではない、光の矢――魔法の類だろう。

「地上からのは私が焼き尽くす！」

アルンが剣を天に向けて薙ぎ払い、矢を焼き消していく。

「空中は私が！　トワイライトクロス！」

すぐ上の空を光で覆って矢を包み込み、打ち消す。しかし広範囲に放たれた矢を全て防ぐことはできず、端の数本は地に刺さった。

刺さった光の矢はすぐ消え、ただの光のエネルギーになったかと思うと、アルンの除雪のように地を高速で這って、私に突進してきた。

「うっ、うっ！　くっ……」

光の針なので矢の直撃よりましだが、チクチクと足に刺さる光も十分痛く、私の体勢は崩れた。たった二人に向かって、この数を広い範囲に撃ったのは、この追撃効果を狙ったからだろう。

アルンを見ると、同じように打ち漏らしの追撃が刺さって膝をついていた。

ゼルエルが立ち上がり、剣を納め、丁寧に雪を手で払った。歩きながら首を振って髪の雪も払う。

「天軍は野蛮な黒の悪魔どもと違い、その結束と連携が武器だ。私一人を攻撃できたところで、それはただの第一防御だ。……今諦めるなら、天軍は貴様らを民として迎えなくもないが？」

この天使、もう勝った気でいる。私は何を言われても諦めない。その口の戦術は通用しない。

踏ん張って、痛む膝を伸ばす。杖を握って地を突き、支えにして立つ。

「天軍の将にダメージを与えられたんだ。まだ勝機は、ある……」

「何故そうまでして戦う。先の技でわかったが貴様、神族だな？　ここには人間の集落と、あと竜族の住まいがどこかにあるらしいが、それを統治するためにしては神族らしからぬ方法だ」

「統治なんてしてない。私はレクシア……アルンたちと同じように、ただここで生きてるだけの一般人だよ」

「ならレクシア、貴様はどこぞのエリアで統治をしてはどうだ？　神族ならその力、既に得ているだろう。ここで異種族と戯れずとも――」

「種族の違いなんて関係ない！　――イリオスたちは、私の大切な家族なの。私と、平等の立場なの」

天軍はきっと、平等な国を作りながらも、神々だけは上位の存在として見ているのだろう。確かに今の世界の統治の仕組みを見ればそう思わなくもないし、私以外の神族を未だ見たことがないくらい、神は他種族のように生きている様子があまり見られない。

でも、人間は神の血も混ざっているんだ。統治がなかったころ、それを任されなかった昔の時代は、神も他種族と同じように過ごしていたんだろうし、気付いてないだけで、今でも私みたいな野良の神がいるかもしれない。

恵みの神が白の大地に、悪神や破壊神が黒の大地に生息して、大地の豊かさが違ってしまっているのも、統治を任されて自由が減った結果なのかもしれない。書物には書いてないけど、私は勝手に想像した。

「もう一度だけ考える機会をやる。悪いがこれで心を折ってくれ。総員、放て」

ゼルエルの声は会話の声量だったが、それでも伝わった天使が矢を天に放った。私の元に雪とともに、さっきより天高くから降り注いでくる。雪も、それを降らす空——天も、天軍のものとでも言われた気がした。

考える機会。これを考える機会というのか。天軍の力を示し、屈服させることで平和な世界へ導くということか。

「セレスティアルレイン！」

なら、私は負けられない。愛と美を司る事象顕現で、目の前のゼルエルにこの心を伝える。ゼルエルにセレスティアルのトゲは降らない。私は本当は戦いたくないのだ。

これは心を折るために放たれた矢の雪。ならこれに負けたら、気持ちで負けたことになる。きっと事象顕現は、気持ちで強くなれるんだ。

「気持ちでは——負けないから！　トワイライトクロス！」

セレスティアルレインで強化された黄昏の光は、放たれた全ての矢を包んだ。旅で成長した私が、この地の皆を守るように。

トワイライトクロスは、包んだ対象をすぐには消したりしなくなった。私の意思で、今後の運命を決められるようになったのだ。

「ゼルエル。この状態がどういうものか、わかる？　冥界のある人が使う技にそっくりだなーって、私は思ったよ」

「貴様は私と同じ白の民だろう。侵攻前にそんなことがわかるはずもない」

「そっか、知らないんだ。なら教えてあげる」

あえて悪ぶって喋る。ゼルエル個人に恨みはないし、天使たちとも戦いたくなかった。しかし天軍という組織に敵対する意思は、もう完全に固まっている。ならこの戦術も真似していいだろう。まあ冥界にも付く気はないけど、ベルゼブブさんには冥界のために働け、なんて言われちゃったし。

「これが冥界のやり方だよ」

光をそのまま空の天使に向けて、包んでいた光の、力の向きを逆転する。

「オープン！」

光が包んだ矢は、反対方向に飛び出し、つい先ほど矢を放った天使の羽を片方貫き、落とした。本体も狙えたが、その必要もないし、したくなかったので殺さなかった。戦えなくなればそれで十分だ。

ゴブリンの命を奪ってしまってから、その責任は今でもずっと感じている。冥界のような戦術をとったが、冥界のように命を奪う行為はしなかった。

「何だと……⁉」

「そして、ディア・パステル！」

足を即座に治療されたアルンが私の元に戻ってくる。

「見事な逆転だったぞ、レクシア」

「えへへ、ありがとう、アルン」

回復の範囲が届いたので、アルンと同時に治療したイリオスが飛んでくる。事象顕現を使う際に傷口を確認できるが、イリオスには傷はなかった。不思議だ。

「もうよいだろう。これ以上は戯れでは済まなくなる」

地に降り立ったイリオスがゼルエルに言う。しかしゼルエルはそれでも冷静に、背後の軍に指示する。

「仕方ない。もう一度竜王子を呼んでくるのだ！」

「面倒なことを……レクシア、竜王子の闘気にだけは儂も動けなくなる。対処を頼んだぞ」

イリオスの発言にアルンが笑った。

「無敵と思った賢蒼竜が倒れて驚いていたんだが、まさか闘気だけで倒れたとはな」

「相性が悪かったと言わせてもらおう……アルンも奴と戦うのはやめた方がいいかもしれん」

ゼルエルに呼ばれ、白い鎧の、黒い大剣を片手に構えた白髪の男が前線に出てきた。竜王子と呼ばれていたが、竜人ではなく人間だ。

「お前は竜が出るからと俺をこの任務の隊に加えたが、報酬以上に働く気があるわけでもないんだぞ、ゼルエル」

この男の発言――詳細はともかく、天軍は竜の住処の存在を一応把握していて、そしてその竜が反抗してくることを想定した上で工作に来たようだ。正義のため、秩序のためと決めれば、もうその地域の竜の望みは、気持ちは考えられないのか。私は怒りを通り越して、悲しくなった。

「何だと……おい……まさか、竜王子って……闘気って……！」

隣のアルンがきっとそれとは別の理由で、急にひどくうろたえた。

【2】赤竜騎士の狂宴

「私にやらせろ、私がコイツをやる！」

「先ほども言ったが、闘気との相性が――」

「だからこそだっ！」

アルンがイリオスの制止を振り切って竜王子に突撃していった。竜王子は自陣を確認していて、まだ私たちを見ていなかったが、その突進する炎を感じ、剣を向けて盾にした。

アルンの竜鱗剣と、一回り大きい黒の剣が激しい音を立ててぶつかる。不意打ちしたアルンが竜王子を押し込んでいく。止まっていた戦闘が唐突に再開してしまった。

「アルン！」

私は呼びかけて支援に向かう。最近大人しくなっていたアルンのこの行動には、きっと意味があるはず。

「貴様の相手は！」

「ひっ――」

しかしゼルエルが合流を防ぐべく右側面から斬りかかってきた。素早く反応して、体を動かす時間はないので杖を盾にする。しかしその剣の重量と扱う筋力での横払い攻撃は、杖を持つ私の身体をその場で回した。足元が滑って回転は軽くでは済まず、自分がどこを向いているかわからなくなった。

「私だっ！」

「きゃあっっ！」

恐らくもう一本の剣だろう。回転が終わらないうちに続けた追撃が、私の横腹の鎧を砕きそうな勢いで打ち込まれる。私は方向感覚がわからないまま弾き出され、右半身が岩にぶつかる痛みを味わい、雪で体を滑らせた。

「ぐうっ⁉」

声が一瞬出なかった。聞こえた声はゼルエルのものだ。地に倒れながら目を開けると、イリオスが隙を見せていたゼルエルを前足で踏みつけ、上半身しか動けなくしていた。

「我は戦いを好まぬ。しかし、平穏を乱す者を放置したりはせん。この意味のない争いを続けるならば、我の聖撃にて、散る覚悟を決めよ。——娘はこれ以上傷つけさせん。貴様の相手は、この儂だ」

一人称が儂から我に変わるのは、父としての姿から守護神としての姿に変わる心構えなのだろう。しかし最後の言葉は父としてのものだ。イリオスは今、両方の立場として戦場に立ったのだ。

イリオスの頭の二本の黒角と胸の突起、その先端が金色に光り、一本の青角と羽翼の先端は蒼く光った。私が力を使いこなしたときと同じ色と同じ力だ。私の受け継いだ能力の、本当の姿だ。

「貴様こそ私を天軍の全てと思うな。地上部隊、放て！」

ゼルエルの手を振る合図で、残った天使たちが矢を放つ。イリオスはゼルエルを踏んでいない方の前足を上げ、光の矢に向けた。

「永き時を生きる竜族を甘く見るでない。セルリアンブレイブ」

蒼く光ったイリオスの前足が横に振られると、広い範囲に放たれた矢が全て、同じ蒼き光を放って砕け散った。

「神腕のゼルク！」

ゼルエルがその隙に剣を上のイリオスに向け、事象顕現で巨大化した剣を斬りつけた。しかしイリオスが蒼く光る前足をその剣に向けると、事象顕現は砕け、今や貧弱に見える片手剣だけがむなしく振られた。踏みつける前足に剣は触れたが、一切動くことはない。

「レクシア、アルンのもとへ行くのだ。天使どもは儂が全て引き受ける」

「う、うん――わかった！」

痛む横腹を押さえて立ち上がり、アルンの方角を探して追いかける。

進む途中、再び空に矢、それだけでなく別の魔法もイリオスの方角に向かって飛んでいくのが見えた。それらも空中でほとんど消え失せる。

「もうこれ以上の狼藉は許さぬ！　因果応報と知れーーっ!?」

イリオスの叫びが地を、天を、世界を震わせる。イリオスの守護神としての寛大な心と姿は偉大さを感じる。しかしついに怒らせたこんなときは、優しい姿をずっと見ていた私から見ても、少し恐怖を感じた。

ゼルエルの攻撃がけっこう効いたのと、足場が悪いのを警戒しなければならないので、私の足取りは遅かった。

所々雪が溶け、濡れた岩になった足場もある。アルンの仕業だろう。森だとこの力は使えなかっただろうから、天軍の進行が進んでいたのは、アルンとしてはやりやすかったかもしれない。

炎が舞うのが見えた。周辺の地面を見ると、このあたりで止まって長時間戦っていると推測できた。

「私がわからないか？　わからないよな。どうか理解するために私と戦ってほしい！　私の力はどうだ、技量はどうだ？　私はお前に評価してほしいんだっ！」

「力はある。だがその簡単に防御させるつもりと思えるほど、明確で複雑さのない動きに技量は感じない。それでは俺は倒せないぞ」

竜王子の冷静な声も聞こえた。姿も見えてくる。どうやらアルンが一方的に絶え間なく連続攻撃をしていて、竜王子はその防御に徹しているようだ。

「倒したいんじゃない。戦ってほしいんだ！　決着がつかなくてもいい。ただそれでお互いの健闘を称え合えれば私は満足なんだ！　新たな目的はできたが、最初の目的は、お前と戦えないと前に進めないんだ！」

まさか、あの日話してくれた竜の闘気の人間とは、この人のことなんだろうか。

「アルン！」

私は二人の姿が見えてすぐ、魔法で治した体で駆け寄り、呼びかけた。炎の範囲に入らないように離れているが、声は届くだろう。

「レクシア！　向こうの方は大丈夫なのか⁉」

アルンが反応してバックステップし、振り向いてくれた。竜王子も攻撃が止んだことで体勢を立て直したが、熱を浴び続けたようで汗を掻いていた。その黒の剣に傷はあれど刃こぼれはない。頑丈な剣、そして効率的な防御の上手い人だ。

「イリオスが全部引き受けてくれたの！　きっと大丈夫だと思う！」

空を一瞥する。降り注ぐ魔法は繰り返し消え去っていた。単騎無双だ。エルダークラスやイリオスなどの高齢竜に立ち向かう術は、私は竜王子以外思いつかなかった。

「クリム……⁉　いや、熱で視界がぼやけて、似て見えたが、別人か……」

竜王子が私を見て、目を腕でこすった。

アルンが再び竜王子を見て、剣を燃やす。

「その名は何だ？　お前の知り合いに、レクシアに似た女でもいるのか」

「俺が守るべき者の一人――婚約者だ。この天軍の作戦は、将来的に彼女らを救うことになると言われ、参加させられた。お前たちと戦いたくて来ているわけじゃない。だからもう諦めてくれ」

アルンが数歩下がり俯き、剣の炎が消えた。雪の降る中で立ち尽くす。

「なんだ、これは……今、お前は私に精神攻撃の魔術を使ったのか？　そうでなければ、何故私はこんなにも動揺しているんだ……？」

ついに膝も曲がって止まるアルン。私はその姿からでも闘気を発し続けていることに不安を感じながらも、アルンに歩み寄ってみる。

「アルン……アルン？　大丈夫……？　何か起きたなら、治療を……」

「……大丈夫だ。危ないから下がってくれ、レクシア！」

「きゃあ！」

アルンの位置で炎の爆発。咄嗟に手で防ごうとしたが、まだ離れていたので範囲外だった。

煙が晴れて見えたアルンの姿は、いつもの赤の竜鱗鎧ではなく、黒の鉄装備になっていた。一瞬何が起こったかと思ったが、どうやら今の爆発はアルンが起こしたもので間違いないようだ。鎧が砕けたように、胸元や腕の一部分が見えるので露出は多くなっていたが、それは熱を出すためじゃないかと考えられるくらい、今のアルンは高熱を発していた。竜の炎とは別の炎が、鎧の中を巡っている。周辺の雪がもう完全に溶けていた。

「竜王子やレクシアは、皆を守るために強くなった。そして今の強さがある。そうなんだろう？　なら今の私にも、その意思の力はある。この装備と力は、レクシアに助けられてばかりの私が悔しくて、自分もレクシアを守り、引っ張っていきたいと思って得た力だ」

「アルン……」

私はイリオスたちだけじゃなく、アルンを守りたかった。でも逆にアルンに助けてもらってばかりだったから、頑張って力を得た。でもその考えは、アルンも同じように持っていたようだ。

アルンの剣のサイズが少し伸びる。燃え広がる。アルンの火竜の炎が黒の鎧を包み、その鎧の所々を赤く染めた。

「どうだ。これが神、魔、竜の力を結集した新神器だ。キュクロプスの名を使いたくもないから、イプシロン・アーマーとでも言おうか」

キュクロプスの兵器を、イリオスの異能を応用して加工したものらしい。あの部品を報酬として頼んだときより前から、アルンは私に助けてもらっていたと思っていたようだ。

お互い様だった。お互いに助け合ってここまで来たんだ。

火竜の炎とコード・イプシロンの循環が、装備の中でぶつかり合って重なり、小規模の爆発と電撃を走らせた。力が強まりすぎたからか、頭の角も凶悪に姿を変え、瞳の赤色も少し鮮やかさを増したように見えた。

「ぐうっ……！　さあ、竜王子、本気で戦ってくれ。言葉で伝わらない思いだからこそ、剣で語ってくれ。私はもう無益な争いはしなくなったが、これは私にとって必要な戦いだ。私は自分の力に自信がある、誇りがある。だから常に堂々と振舞ってきたし、この姿になっても名乗りは火竜だ。だがその自信は、たまに揺らぐんだ、お前の呪縛のせいで。それを断ち切って、私は自由になるんだ！」

口の中の牙がギラリと光る。これは私が支援していいものじゃないと察した。一人で戦わないと、アルンの、あの日戦えなかった悔しさは晴れない。

「……わかった。だがもしそれでお前が死んでも、恨むなよ」

竜王子が剣を構える。黒の剣が金色に光る。その姿から、竜の闘気を感じた。

いや、視える。金の竜の霊体が。強力な竜を倒し、その力を継承した、憑依者の闘気だ。アルンがそれを受けて少し怯む。しかしすぐに立て直す。一瞬私とアルンの鎧が蒼く光った。イリオス製作の素材部分だろうか。今光ったのは、私たちの意思で闘気に耐えたということだと信じた。確証はないし、根拠もないけど。

「ハッ、余裕じゃないか竜王子。私が火竜を名乗っていると聞いて、強気になっているのか？　お前も死ぬかもしれないぞ。この剣は見ての通り、当たったら斬られるだけじゃ済まんぞ！」

「アルン、今回は止めないよ。……頑張って」

私はさらに数歩下がって、杖だけ構える。ああは言ったが、もし決着後に追撃でもしようとしたら本気で止めるつもりだ。

「長期戦をする気はないさ。ただ伝わればいい。そして私の今の不安定な感情が安定して、確かな自分を持てればいい。──さあ竜王子、オセロニア界の盛大な宴を始めよう！　向こうは盛り上がっているが、ここの対戦は私とお前、観客はレクシアだけだ！」

炎が常に渦巻いているアルンが剣も強く燃やす。イプシロンの炎を受けても剣の竜鱗は傷つかず、恐ろしいことにむしろ竜の炎が勝っている。後頭部で髪を結んでいた硬い素材の紐も焼き切れ、長い白髪が熱で赤の色に少し染まりながら舞う。この迫力は、姿が人間の見た目であっても、とても竜としか思えなかった。

対する竜王子も竜の闘気が強まり、霊体の竜が咆哮した。黒い剣の色が、さらに黒く染まる。どうやら正義の剣に憑依したのは、悪の邪竜のようだ。しかし放つ金色の光は正義のものだ。

アルンも竜王子も、別の力を自分の強い意志で制御しきっている。

「準備はできている。俺の名はジーク。竜顕の王子、ジークフリートだ！」

「その名、初めて会ったときから、ずっとずっと知りたかったぞ！　さあジーク、受け取れ！　我が竜鱗の力、そして私の意思の炎を！」

アルンが炎の剣を地面に寄せて、一回転横払い。雪が、氷が全て溶け、その先の水すら蒸発した。離れた私の所にも熱が伝わってくる。

アルンの足の神器部分が唸る。回転攻撃の勢いをそのままに、アルンが乾ききった岩を蹴って跳んだ。装備重量ですぐ落ちるが、そのジャンプの距離はジークフリートまでの距離をなくすほどのものだった。

着地と同時に振り下ろす。積雪に囲まれた岩の闘技場で、ジークフリートが剣を両手で構え、竜鱗を受け止める。剣が触れ合っただけで爆発のような轟音がした。竜と竜の巨体が突進してぶつかり合ったようなものだ。私がその衝撃に耐えて再び闘技場を見ると、二人は拮抗した鍔迫り合いをしていた。能力相性がアルンの炎を抑えていたが、ジークフリートは筋力――体の方で負けている。岩が削れて小石となったものは、この場に相応しくないとばかりに吹き飛ばされる。

「くっ――竜闘気の威圧が、効かないだと!?」

「効いてるとも。だが、装備の火力と意思だけで耐えている。おかげでひどく頭痛がするぞ」

「なら一度力比べをせず、引いた方が良い。金属すら溶かす竜が憑依した俺の闘気は、その頭を溶かすかもしれないぞ」

「断る。私は剣をこうやって打ち合い、語るのをやめたくない！」

「命を散らすような判断をするな！」

ジークフリートが闘気で筋力差を埋め、アルンの剣を押し出した。

「――まだだ！」

よろめくアルンだが、すぐに地を力いっぱい踏み込んで剣を振る。

「竜闘気――解放⁉」

ジークフリートもそれに応え、同じ振り方で打ち合う。完全に闘気を解放したジークフリートは全力のアルンと完全に同格になった。その証拠に黒の剣が押され鍔迫り合いが続いたりはせず、二人の剣は同時に弾かれよろめく。

「もっとだ、もっと燃えろ！　我が竜鱗よ！」

再び踏み込んで打ち合う。そのたびに轟音が響き、地が震える。私はついに体勢を崩し、その場で打ち上げられるように転んだ。両手で地を押して上半身だけ上げて、起きてもまた倒れてしまう――と下半身は諦めて足を横に倒したまま、二人の戦いを呆然と眺める。

「ボルケーノブレイド！」

駆動アーマーが熱を吹き出して唸る。地を割ったアルンの竜鱗剣が炎を放つ。割れ目から炎が吹き上がる。

「無駄だ、竜顕英牙！」

割れ目に差し込んだジークフリートの剣から金の竜が駆け抜け、炎を喰らう。

「竜って、こんなに強いんだ……いや、この二人が、強いのかも……」

しかもこれは一対一の、コロシアムのようなものだ。戦争ともなればこの規模の戦いがそこらじゅうで繰り広げられることになる。私は想像もできず、ただ震えることしかできなかった。

けどそんなことではだめだ。アルンは私のためにこの力を得たと言った。なら私も、このくらい強くなりたい。自分の強さは客観的に見れないけど、せめてこれを見ても恐れず、この規模の戦いを乗り越える覚悟をしなければならない。

イリオスがあの場所で戦っているのも、最初は私がイリオスの代わりにやりたいと思ったことだ。

私は、もっと強くなりたい。

二人の戦闘に変化があった。アルンがついに威圧の被害に耐えられなくなり、相手の剣を弾きながらも、こちら側に後退していた。咄嗟に回復魔法を使いたくなったが、その小さい背中の大きな圧が、それを拒否した。怒られた。

わかっているのに動きたくなったのだ。負けてほしくない、傷ついてほしくないと思う心が勝手に体を動かしたのだ。私にはいつの間にか、アルンを守るヒーラーとしての心もすっかり染みついてしまったようだ。

イリオスがどれくらい持ちこたえたかはわからないけど、アルンがここまで耐えたのもすごいことだ。しかもアルンはまだ倒れていない。その意思がジークフリートへの思いと、私や関わった人間たちへの思いだとすると、アルンは本当に成長したんだと思う。最初は自分の利益しか考えていないと言っていたのだから。

「やはり私では届かないのか……？　あの日のように、お前がこの先に歩きだしてしまうのを、止められないのか……？」

ジークフリートは追撃をしながら、言葉でも語りを返す。

「届いている——！　少なくともあの日、手を出すことすらできなかったあのときのお前と比べれば！」

アルンの動きが少し鈍る。

「——!?　思い出したか……！　いや、私を覚えてくれていたのか……！」

「剣というのは確かに、言葉では通じない意思のやり取りができるな。大丈夫だ、アルン。お前は確かに、強い。力量においても、その剣にこめた意思においても」

アルンが膝を崩して沈んだ。その目には涙があった。剣の炎が消え、それに合わせてジークフリートの闘気も消えた。アルンは火竜だから問題ないが、ジークフリートはもう汗だくで、肌の一部が日焼けのようになっていた。戦闘が終わったようで、私は安心して立ち上がった。

アルンは鎧の熱も放出し、息を大きく吐いた。

「良かった……良かった……これで私は……ごほっ、げほぉっ」

「実力はきっと互角か、アルンが上だったか。だが、竜殺しの剣——そう呼ばれるようにまでなった俺の剣を受け続けたんだ。相性差というものもある。しばらく動かない方がいい」

「……戦ううちに、自分のこともわかってきた」

「何？　――うおっ」

アルンが不意に起き、立つジークフリートの胸元目掛けて突進した。体勢を崩し倒れたジーク。その上半身の鎧に頭から倒れたアルンは、両腕でその腹を包んだ。

「なんのつもりだ。このまま作戦を妨害する気か？　ゼルエルたちは未だに戦っているから俺は関係ないぞ」

「うるさい。私は疲れて動けないんだ」

私にはこれは、アルンがジークフリートを抱きしめているように見える。そう思ったら、何故か心が騒いだ。嫌な予感とかでもないし、むしろこの光景は良いものだ。被害はなく、二人無事で、アルンは目的のひとつを達し、人間との交流や剣の修行を心置きなくできるようになるだろう。でも何故か、私は少し、ざわついていた。寂しい？　いや、違うかな。わからない。

ジークフリートはアルンに構わず起き上がり、さっきの突進を受けて手から離してしまった剣を握り直した。

「竜の気配を感じた。気になるから調べてこようと思う」

「竜はここにもいるし、遠くならイリオスだと思うが？」

「いや、新たに気付いた気配だ。この決闘も終わったし、頃合いだろう。戦ってわかった。お前たちはこの戦いにおいて妨害をする敵だったが、決して悪人ではなく、お互いの信じる正義のために戦う騎士だった。後でそう天軍にも伝えよう。お前たちとはきっと、またどこかで会おう」

「わかった。またな、ジーク……」

ジークフリートが私を見る。

「お前もだ。レクシアと言ったな。お前は俺と似た竜の闘気を感じる。語り合えたら、新たな発見もあるかもな」

「……ジーク、フリートさん」

「ジークでいい。麓には集落があったな。天軍はあそこの住民を、作戦終了の後に国で保護するつもりのようだから、今は何かあれば俺が守ろう。俺の仕事は追加指示がない限りはもう終わったからな。では、別れだ」

私がさよならを言うより早く、ジークは山を走り、下って行った。守ってくれるのはありがたいことだが、麓の人たちを天軍に渡す気はない。

アルンも起き上がり、ジークの向かった方角から目を離した。

「ありがとうレクシア。これで私の心残りはもうない。寄り道させてしまったが、ここからは私も、レクシアのためだけに戦おう」

「ちゃんと、語り合えたんだね」

寂しい気持ちのまま話す。アルンは笑っていたが、少し、今の私と似たような顔をした。

「お互いを理解し合えた。やはり戦いで語れば打ち解けられるのが私だ。しかしな……知りたくなかったことまで知ってしまうのは、想定外だった……」

「知りたくないこと？」

「とても、人間らしいことだと思う。いや、竜にもあるか。だが前まで私にこんな感情はなかった。最近人間と関わりだしたレクシアも、これは自分で知るべきものだろうから、私からは言わない。人間って、ちょっと辛い生き物かもな……」

アルンの角に付けられたアクセサリーが、ちゃらん……と揺れた。私はそんなアルンを抱きしめた。アルンの肩に顔を乗せて、その先の山の視界を目に映す。

アルンが今、何を考え、どんな気持ちでいるのかはわからない。私の今の気持ちと同じかどうかもわからない。ちょっと、もどかしい。

「私も、疲れて動けないからさ。アルンはあの人みたいに、私を押しのけないで……？　少しで良いから、このままでいさせて」

「全く、今のレクシアは子供みたいだな」

アルンは手を私の後ろに回してくれた。冬の冷えた体と心が温まる。

「さっきのアルンも、同じことしてたから子供だよ」

「ははっ、そうだな。我ながらおかしなことをしてしまったなぁ……」

しばらくして、突風が吹いた。

「グェアァッ！　戦いの臭いは、本来戦いの中で臭うもの！　最近感じていた偽物じゃない、真の大戦、ついに見つけたぞ!?」

私たちは飛ばされて強制的に離された。

「きゃあっ！」

まだ雪の溶けたままの闘技場に体をぶつけて止まる。その体が、以前も感じた痛みで痺れた。

「うっ……!? アルン、今のって、まさか!?」

近くで同じように倒れていたアルンが空を見上げる。

「ああ、間違いない――奴だ！」

私も空を見る。きっとアイツは私たちの近くを全速力で通り過ぎて、風圧と同時に自身の瘴気で私たちを威嚇攻撃したんだ。

いつの間にか魔法攻撃をやめていた天軍の上空で叫ぶ、紫色の邪竜――ヴァラーグが、天軍より高い、真の天からの攻撃を無差別に放ち始めた。

雪が降り続ける空に、雷が割り込み、混ざった。

【3】救い

痺れるダメージを受け続けないように、魔法を使いながら瘴気を強引に振り払って、体を起こし、戦況を確認した。

天軍の攻撃は止んでいる。矢が尽きたか諦めたか、現在イリオスと交戦はしていないようだ。

ここからでも見えるイリオスの巨体。その首は空に向けられ、何やらヴァラーグと会話をしているようだが――

「ボルテック――ブレイブゥゥゥゥ!?」

邪竜の大きな叫びから、遅れて雷の音が聞こえた。黒い雲が天を覆い、先ほどより一層強い雷が降り注いだ。交渉は失敗した、ということだろうか……

雨のない雨雲は聖域を含めた山だけでなく、その麓の村や、そのさらに奥の、私たちが走ってきた平地までも覆っていた。

無差別な雷が森の中に落ちて轟音を響かせる。木が一本、不自然に傾いた。

「あそこにはみんなが……っ！」

咄嗟に麓の村に駆け出そうとするのを、アルンに腕を掴まれて止められる。

「ジークがいる、きっと大丈夫だ。それに向かったところで、ただ防御魔法を張るだけだろう？ヴァラーグの攻撃を止める者がいないまま、いつまでそれを続ける？」

「でもっ……」

ここの守護者であるイリオスを見ると、その巨体は雷を受けて怯んでいた。天軍との戦いで疲弊したのか、離れた邪竜に攻撃が当たる様子がない。アルンの言うことも納得だ。今のイリオスは、ヴァラーグを止めることが可能とは言いがたい。

「そうだ、私が、私がやらなきゃ……そのために、ここまで来たんだから……」

アルンに頷くと、腕を掴む手を離したアルンが頷き返す。

「わかった。向こうはジークに任せる。行こう、アルン！」

「ああ！」

足の向きを変え、闘技場から出て雪の地に再び踏み出した。暗くなった空の下でも、その銀嶺は輝き続けようとしていた。

空からの一方的な攻撃を受け続けていたイリオスは、痛みで膝を曲げ、ただ空を見上げていた。翼のダメージはそれほどなさそうだったが、飛行はここまで一度もしていなかった。

「お父さんっ！」

険しい山登りをした棒の足を引っぱたいて走った。イリオスは私の声に反応して、首だけをこちらに向けた。

「よく来てくれた、レクシア！　高位の治癒術はお主の方が扱えるであろう。旅で得た力は、この者を救うに至るものか、どうか試すだけやってみてほしい」

この者……？　と困惑していると、イリオスに首でその場所を示された。雪の白がただ存在するだけに見える地、その中に少し違和感を感じるものがあったので駆け寄る。

「ゼルエル……！」

アルンがいち早く気付いてその名を呼んだ。埋もれた白の服がほぼ雪と同化し、その輝く黒髪が、雪の白を受けてさらに輝いていた。

「ゼルエル――ゼルエルさん……！」

私が膝を砕いたように腰を地に着けると、その倒れた天使が目を薄く開いた。

「お前たちか……賢蒼竜は善の竜だ……剣を振るう私に、防御はしても反撃はせず、邪竜が私を攻撃すると、こうして盾となり守っている……私は、任のためとはいえ、このような善の――ぐぅっ――ぁあああっ！」

ゼルエルの身体に黒い雷が走り、体を強く震わせて、再び目を閉じた。体に残る雷の瘴気に対処することすら、今の状態ではできなかったのだ。

「ゼルエルさん！　今、瘴気を祓（はら）うから……！」

体に残った瘴気は、雷の追加ダメージのようなものだ。それは魔法で解除するか、他の人に雷とその痛みを分け、共有することで解除できると、以前の戦いで知った。魔法をかけて素早く瘴気を祓ったが、ゼルエルは目を開けてくれない。

「ゼルエルさん！　ゼルエルさんっ！」

杖を持つ右手を離し、抱き上げるように肩を持ち上げ揺らす。その美しい顔が、肩に合わせて抵抗なく揺れた。嫌な予感がした。

嫌だ嫌だ、死んじゃ嫌だ。敵対はしたけど、今確かにわかり合える瞬間が来ていた。

「お願い……死なないで……生きて……お願い……！」

ゼルエル本人に死んでほしくないという思いもあるが、もしそうなったら私は何も成長できていないことになり、それも怖い。さらにここまでの道のりが、結果的にこの人を殺したと考えてしまえば、もう私は、きっと立ち直れない。

そんな恐怖から逃げるように他の思考をほぼ遮断して、ひたすら祈るようにゼルエルを抱き寄せた。体から直接事象顕現の癒しをかけるように力を放つ。ゼルエルの心の臓が、一瞬動いた気がした。

「……!?」

反対側、つまりゼルエルの右側に片膝を突いて座っていたアルンがその姿を眺めた。

「レクシア、これは私がヴァラーグとの打ち合いに負け、飛ばされたのをお前が受け止めてくれたときと同じ種類の雷だな？　ならそれを誰かと共有せず一人で長時間受け続けたなら、意識を失っているだけの可能性はないか？　いや、確実にそうだ。まずはその天使から手を離せ。大丈夫だ」

いつも冷静に考察してくれるアルン。その姿を見て私は抑えきれない涙を流した。その言葉が私を救ってくれる。ゼルエルを優しく地に下ろし、空いた手は自然と自分の口元を覆った。

「杖を握れ。お前の力はそれだろう。状況は確かに厳しいし、その純粋な心が乱れるのは仕方ないが……冷静な判断もたまにはしようじゃないか」

「うん、うん……ごめんね。私、焦ってばっかりで」

「ここでコイツを見捨てる無慈悲な神よりは、常に足掻くこんなレクシアの方がまだいいぞ」

杖を握る。目を閉じて祈る。杖なしでも一瞬復活したのだ。だからいけるはずだ。

「ディア・パステル！」

愛を司る事象顕現で、気持ちを竜の力とともに伝える。私はあなたに生きてほしい。

いや、祈るんじゃない。私が生かすんだ。さっき私を救ってくれたアルンと同じように、私もゼルエルに救いの手を差し伸べる。

目を閉じていてもお互いの手が視えた。自分の救いの手でゼルエルの手を握って、この世界に優しく引っ張っていく。さあ、来て。私が、アルンが、イリオスが、みんなが、貴女を待ってるよ。

目を開けると、ゼルエルも目を開けていた。

「お前の声、確かに聞こえたぞ。ありがとう。レクシア」

そのゼルエルの微笑は、私も救った。

「こちらこそ、ありがとう。生きようとしてくれて」

アルンがそれを見て、つられるように微笑んだ後、立ち上がってイリオスを見上げた。

「イリオス。ゼルエルはレクシアが無事救ったぞ。お前の娘は、本当に立派な奴だよ」

イリオスが首をこちらに向けた。

「ああ、そのようだな。焦ってばかりと言っていたが、その力の行使は心が落ち着いていないとできない系統だ。こう見えて、ちゃんと落ち着くときは落ち着けるのだ。誇ってよいぞ、レクシア」

「誇ったりは、まだできないよ。でもありがとう。お父さん」

集中して聞こえなかったので、常に降り注ぐ雷の音がようやく戻ってきた。ヴァラーグがこちらに向けてきた攻撃は、全てイリオスが防いだり、受け止めていたようだ。

「お父さんも頑張ったね。私の事象顕現、受け取って」

ディア・パステルをイリオスにもかける。複合術は旅の集大成のような力だ。父であるイリオスにそれを感じさせて、私も頑張ったよ、大好きだよと伝える。

「ああ……伝わったぞ、レクシア。本当に、本当に立派になった。儂の可愛い娘よ……」

熱い。きっと私は今、顔を真っ赤にしている。杖を握ってそっぽを向きそうになったが、杖もイリオスのものなので逃げ場がない。

こういうときに気持ちを伝えるのに便利ではあるけど、愛情をそのまま顕現して相手の体や心に直接与えるって、やっぱりとっても恥ずかしい。同じような事象を司る神様がどこかでエリアを治め、複数の国の民に事象顕現を使っているとしたら、その神様に恥ずかしい感情はあるだろうか。あろうとなかろうと、尊敬する。

ゼルエルが先ほどまでのダメージなど一切感じさせない動きで立ち上がり、二本の剣を鞘に納め、イリオスのもとへ歩いた。

「剣を向けたことを許せとは言わない。しかし謝罪させてくれ。そしてこれより我らは、邪竜と戦いたいと思っている。一時共闘、それを許してくれるか？」

イリオスはすぐには答えず、まず私とアルンを見た。私もアルンも、迷いなく頷いた。

「よかろう。こちらとて進んで戦う気など元よりない。この地を、そして大地全てを荒らす邪竜、ここで共に鎮めよう」

ゼルエルはそれを聞くと、天軍の天使たちを見下ろし、第三の金剣──四大天使の神剣を天に掲げた。

「我が、我らが天軍の勇士たちに告ぐ！　我らはこれより妨害勢力改め、竜騎士衆と共同戦線を張り、紫雷の邪竜と交戦する！　この剣は悪魔を討つためにある。その刃を、あの邪竜に向ける許可が下りた！　奴は我らの敵、悪魔となったのだ！」

私たちと戦うときに神剣を使わなかったのは、四大天使の許可を得て、真の敵と戦うときにしか使えないからだったようだ。

軍の雄叫びが聞こえる。これで敵はあと一体だ。

突然呼ばれた竜騎士衆、良い名前だ。アルンもその呼ばれ方が嬉しいのか、頬が緩んでいた。確かにアルンはそのまま、竜の騎士だ。

鎧を着た戦士は、もう騎士と言っていい。しかし王国などでは騎士というのは階級だったり、何かに仕える者という意味でのみ使われた時代もあったと、ローランさんが夕食のときに言っていたのを思い出した。

私はイリオスに知識を、力をもらった。親子なので仕えているのとは少し違うけど、竜の騎士といってもまあ、いいだろう。これから私は、鎧を着た少女としてだけじゃなく、こちらの意味でも騎士と名乗ろう。

「勝つ——竜の騎士の誇りにかけて！」

【4】聖邪の決戦

「話は済んだか？　済んでなくとも、もう我慢ならんがな！」

余裕ぶって待っていたヴァラーグが、体に雷を纏い始めた。

「私が先陣を切る！　輝け、神剣よ！」

ゼルエルが地を蹴って、山の崖から飛び出す。私は一瞬焦ったが、剣を輝かせた天使は四枚の翼を羽ばたかせて、体が上昇していく。

「覚悟っ！」

「グェアアッ！」

狂ったような叫びをあげるヴァラーグは、口から黒い雷を吐き出した。

二つの光がぶつかり合い、暗い空を照らした。

「天軍の将とやらの力、そんなものか」

ヴァラーグが右前足の爪を光らせる。

「まずい、あれは――――！」

「わかっている！」

アルンが戦慄したが、ゼルエルはこちらに声をかける余裕を持っていた。

「グェアッ！」

「甘い！」

ゼルエルは左手を足に添え、普段使っていた方の剣を抜いて迎撃した。爪と剣がぶつかり火花を散らす。

しかし次第にゼルエルが押されてきて、体勢が下がってくる。神剣とブレスは互角だが、雷を纏った爪と二本目の魔法のかからない剣が、能力差を感じさせる。

ゼルエルはその下がる体勢を利用して、足を振り上げてヴァラーグの顎を蹴った。一瞬剣が下がったことで、雷が私たちの上空を通り過ぎ、山の岩に当たった。

「グゥッ!?」

しかしブレスは止まる。縦に一回転しながらゼルエルが叫ぶ。

「今だ、放て！　――シャインオブフォース！」

下から天軍の矢が撃ち上がる。途中で勢いをなくして落ちそうになったが、神剣が輝くのに合わせて矢も光り、再び天を目掛け突進する。

命中。声もなくヴァラーグが落下する。ゼルエルはそれを急降下で追いかけた。

「ヒェーーーーッ!?」

「フォーーーーッ!?」

後ろから声。さっき岩に雷が当たって、聖域から飛び出してきた一角竜たちだ。

「ちょうどいい。乗るぞ、レクシア！」

「う、うん！」

アルンが駆け込む。私は反射的についていく。

「怯(おび)えている場合か！　今は契約中の私のペットだ。その程度克服するよう鍛えてやるぞ！」

そう言って、走る一角竜に飛び乗るアルン。進路変更を行ってもう一体を誘導し、私のそばに走らせてくる。乗れるようにしてくれたつもりだろうけど、あまりに速い。

突如、地響き。一瞬浮いた一角竜の動きが鈍る。

「お願いっ！」

上手くいってという思いを声を出して飛び込む。

「ヒェーーー！」

「ひぇぇぇっ！」

なんとか腕だけ、一角竜の体に摑まる。足が地に引きずられ、雪を搔き飛ばし、定期的に岩の凸凹に当たって跳ねて痛い。アルンの一角竜についていくように走るその振動に振り落とされないよう、踏ん張って登り、慎重に体勢を整えた。

低空飛行でついてきたイリオスが、一本だけ雪がかかった足を払った。どうやらさっきの地響きはイリオスの手助けだったようだ。

走る先、山と森の境界にヴァラーグが落下してきた。地面ギリギリで体勢を立て直し、足を地につける。雪で滑ったが、勢いをそのままに横一回転し、尻尾で周囲の天使を薙ぎ払った。

天使がゴロゴロと飛んでくるのを、一角竜が避けながら進む。

「シャイニングレイ！」

急降下するゼルエルが神剣を真下に向ける。その輝きは広がって形を変え、針のような光の雨を降らせた。しかしそれは強固な竜鱗を通さず、効かなかった。

それでも怯まない神剣がヴァラーグに突きだされたが、口で側面を摑まれてしまった。

「ゼルエルさん！」

攻撃魔法を用意した私が、連携しようと思って呼びかけたのは失敗だった。ヴァラーグがそれに気付いてしまい、横一回転の尻尾攻撃をしてきた。あの高速の一回転、くわえられた剣を持ったゼルエルは混乱するだろう。

一角竜はジャンプでかわすが、その空中を狙ったかのようにゼルエルが剣とともに投げ飛ばされてきた。私は味方に当てないために魔法を使えないどころか、その飛ばされる体への対処する方法を持たない。

「っ！」

　ゼルエルの身体に当たって、一角竜から引きはがされた。

　背中に衝撃。後ろにいたイリオスが尻尾を上げてくれたので、そこに当たって止まったようだ。

　そしてゼルエルと一緒に滑るように背中に転がり落ちる。頭を振って気を確かに持ち、すぐに前を見るが、体が少し痛んで動けない。ゼルエルもすぐには復帰できないだろう。

「ボルケーノブレイド！」

「グァアッ！」

　アルンが地から炎を伸ばすが、ヴァラーグは飛んでしまう。

「まだだ！」

　一角竜からジャンプしてヴァラーグに迫るアルン。それを見たヴァラーグは爪を突き立て、剣と打ち合わせた。見える光や感じる振動から、力は互角か、アルンが少し上と思われた。しかしアルンは位置が不利なため、しばらくして落ちてしまう。

「セルリアンルーセント」

　イリオスが口を開くと、蒼い光のブレスがヴァラーグに直進した。光の速さには対処できず、左翼に命中、膜を一枚突き破った。弾かれたように左に回転するが、体勢を立て直し、右の二枚の翼と、残り一枚の左翼を広げた。角が赤く光り、黒い瘴気の色が見える、危ない！

「トワイライトクロス！」

「ボルテックブレイブ！」

読みが当たった。広範囲全体攻撃。攻撃に集中していたみんなに対処はできない。攻撃ができなかった私が今動けたのは幸運だった。

暗い世界に光るさらに黒い雷を、それより早く出現した夕焼けの光がかき消した。

「やった！」

「雑魚め。サンダーボルト！」

――え？

ヴァラーグは先ほど技を使ったばかりだ。私と同じように隙ができるはず――

黒い雷が刺さるように当たり、痛みを感じた。

「がっっ⁉」

どうなったのか、そんな思考はできない。脳は感じる痛みと痺れに悶えるだけだ。イリオスの身体から転がり落ちて、回復魔法をかけられるくらいに動けるようになるまで耐える。しかし発生した瘴気はそう簡単に回復させてくれない。

そっと目を開ける、痛みで閉じる、また開ける。イリオスが耐えているが、他は私と同じように倒れている。遠くの天使たちも動けない様子だ。

「ボルテックブレイブ！」

二回目。もう目を閉じることしかできない。

雷は来ない。――目を開ける。

ヴァラーグが地に伏していた。邪竜に剣を向け、一人立つ剣士を見て、その理由はすぐわかった。

「ジーク！」

アルンがその名を呼んだ。

「すまない、皆。少し遅れた。アルン、レクシア。再会は早かったな。――さあ、雷瘴の邪竜。ここで死ぬか、俺の剣の力の一部になるか選べ。制御できるかはともかく、一度憑依者になった俺なら、取り込むのは簡単だぞ」

ジークはヴァラーグの攻撃した後の隙に、竜闘気の威圧を使ったんだ。これなら後は、ジークがその動けないヴァラーグを――いや、あの邪竜――！

「ジーク、気を付けて！　まだ動ける！」

焦りそうになりながらも最低限だけ伝える。ジークが反応して一歩引いた。

「遅いィッ！」

ヴァラーグが起き上がる。私の痺れが取れた。黒い瘴気が見える。さっき周囲に放った瘴気が狭い範囲に集まったかと思うと、ジークの方へ流れて行った。

「くっ……」

ジークは剣で受け止めようとしたが、ただの空気なので防げない。体が痺れて呼吸が辛くなる、一瞬の不快感に動きを止めてしまうジーク。

「ディァ！」

ヴァラーグの突進攻撃をギリギリかわし、隙をなくすように振られる尻尾を飛び越えたジークが、黒い剣を輝かせる。

「竜闘気――」

「貴様も弱いな。サンダーボルト！」

サンダーボルトは上空からの落雷だった。天候を操るだけで自分は動かないので、技の隙を補うのだ。それを斬ったジークが、勢いをなくして地に落ちた。瘴気が強まり、雷を斬った剣から電流が流れる。

「ぐっ……!?」

「死ねェェ！」

「させん！」

イリオスが光ブレスを放ったが、ヴァラーグはそれを予測していたかのように軌道を変えて避け、怯むジークに牙を向けた。

しかしブレスを避ける時間を得たおかげで、剣は牙を防いだ。しかしその牙は剣をくわえ、上空に投げた。剣を握るジークが放り出される。ヴァラーグが地上から消えた。

「ライフバーストォッ！」

空からヴァラーグの咆哮。木から大きな音がした。

「ジーク!?」

痺れを忘れたようなアルンが音の鳴った木に駆け寄る。ジークが倒れていた。速すぎて撃ち堕とされたのが見えなかった。

「ジーク起きろ、ジーク！」

「屈強な奴め、仕留め損なった。まあいい」

必死に叫ぶアルンと同じ声の大きさで空の邪竜が呟き、山の方を見た。

「貴様、どこへ行く」

イリオスが同じように響く声で聞く。

「地上はやはり騒がしい。次は今度こそ空だ」

「そんな！」

声を出した私を、邪竜は一瞥した。その後イリオスに目を向ける。

「ただの挑発だ。別にあの場に興味はないが、こうでもしないと貴様と戦えないのだろう？　イリオス。天使どもとの争いに割り込めばいいと思ったが、協力態勢とは。実につまらんな」

「儂と戦いたいならそう申せ！　聖域を使って惑わさずとも儂は……！」

「二千年前、最後までそうしなかった貴様が何を言うか」

イリオスに吐き捨てたヴァラーグは、地を歩くような速度で山の頂上へ飛んで行った。

「私が治療しよう」

ゼルエルの声が聞こえた。折れそうな木からだ。ジークに漂う瘴気を消していた。アルンはその様子を見て不安な顔をしている。

「……大丈夫なのか？　大丈夫なんだろうな？」

「ああ。気は失っているが、私と天軍の衛生兵が協力すれば治せる傷だ。それよりも、邪竜の動きが不穏だな……聖域、などと言っていたが……神の居住区がこの近辺にあるのか」

このエリアの人からすれば、確かに神と言えば神だ。しかし聖域のことは流石に知らない様子、危機感を感じていたのは私とイリオスだけのようだ。アルンはヴァラーグの話を聞けていない。

そういえばと思い出したので周囲を見回すと、一角竜は倒れていた。瘴気がなくても動けなくなるには十分なダメージだったようだ。幸いピクピク動いていたので、神竜複合術で治療した。

「ゼルエルさんはジークの治療に専念して。ヴァラーグは、私とお父さんが止めるから」

「策はあるのか？　我々全員で勝てなかったのだから、その人数の正攻法では勝てないぞ」

私は空を見た。その暗い雲を。そして目には見えないが、その先にある青空を。

「雲を消せれば、勝機はある。あと、お父さんはきっと、ここからは本気だから。——消耗はしてるかもだけど」

矢や魔法をひとつ残さず撃ち落とした、あの強大な力を使わなかったのは、きっと周辺の被害を恐れたからだ。だとすれば人間や自然の力はない方が、実際はもっと戦いやすいはずだ。

「アルンは……どうする？　治療を手伝いたいなら、一角竜の護衛と同時に……」

「私も行くぞ、レクシア」

立ち上がったアルンが剣を握る。

「聖域は私も守りたい。それにここまで来て置いていかれるのは、寂しいぞ？」

暗い顔はもうなかった。強い人だ。本当に、いつだって頼りになる。

「わかった。よろしくね、アルン」

頷いたアルンは、もう一度だけジークを見た。

「死ぬなよジーク、お前にはクリムがいるんだろ？　いつまでも昼寝してると、私が愛をこめて、お前を斬ってしまうぞ」

私はアルンを手招きして、体勢を下げたイリオスの背に乗った。足をよじ登らないと乗れなかったほど高い背だが、もう慣れたので、ひとっ跳びで着地だ。

「行こう、お父さん！　私たちの居場所を、護るために！」

「そうだな娘よ。彼の者に思い知らせてやるとしよう」

アルンが遅れて登ってくるのを確認すると、イリオスが翼を広げた。その体が蒼く光る。イリオスの顔や腹、足など、至る所に鎧が現れた。一瞬で大量の装備の作成を行い、装着したのだ。

「久々に異能を全開で使ったが、最近の装備製作のおかげで腕は鈍っておらぬようだ。よし――レクシア、そしてアルン、行くぞぉっ！」

「うん！」

「ああ！」

イリオスが大きく羽ばたき、巨体に見合わぬ速度で上昇した。しっかり摑まれという意味で言ったのだろうが、私たち二人は平然とイリオスの速度に耐えきっていた。こうでなくては戦闘などできない。

元から行く気など本当になかったのだろう。途中から進行を止め、聖域に全く近づいていなかったヴァラーグは、ようやくかと翼を広げ、雄叫びをあげた。雲が雷で光り、視界がさらに暗くなった。空気の淀（よど）みを感じる。雷の瘴気だ。

「さあ、第二ラウンドといこうか。連勝で決着をつけよう」

角を光らせるヴァラーグ。その動く口から、たまに電流が走っている。漏れ出ているとしたら恐ろしい出力だ。

それに怯まないイリオスが翼を広げ、口を開く。

「確かに先ほどはこちらの負けと言ってよいだろう。だが最後のライフバーストの高火力、お主も消耗しておるのだろう？　儂らと戦う前からも、きっと休むことなく暴れていた」

ライフバーストというのは、学校でも習うことができ、私もイリオスから教わった。ブレイブやカウント、シールドなど、力の差こそあれど、練習さえすれば誰もが使用できる魔法や魔術のひとつで、その中でも比較的難しい上位スキルだ。竜族であっても異能の感覚で同じように使える。

当然名前で効果がわかる。ライフバーストは使用者が消耗しているほど火力の上がる、無属性の衝撃波だ。さらに使用者の力が高いとその上昇威力上限、つまり最大火力が増す。イリオスの発言から察するに、ジークを一瞬で吹き飛ばして行動不能にした高火力は、使用者の力が強いことよりも、消耗の大きさが理由のようだ。

「そうだな、欠損した体を治すことすらしないで飛び回る愚か者だ。六枚あるように見えた翼もあと三枚……もう本来の力を出すのは難しいだろう。逆転は十分に可能だ」

アルンがその痛々しい翼を見て口角を上げた。

「私たちは負けない。覚悟して、ヴァラーグ」

私はにらみつけて杖を向ける。ヴァラーグは笑った。

「ハハ……この世界を象徴する、逆転という言葉を知りながらその考察と余裕とは。俺は翼を失うと確かに一部の力を失うが、雷瘴雲などの別の力を使う余裕が生まれる。だから以前勝てなかったイリオスと今こうして戦えている。そしてライフバーストを習得した者にとって、消耗は強力な武器になる！　話は終わりだ。もう雷瘴雲の勢いは、俺すら抑えられない！　デェエィァアアッ!?」

ヴァラーグへの初動突進は、隣の相棒に任せる。お互いの役割を理解しているのでアイコンタクトすらいらない。

私は戦闘が始まったら強化兼支援魔法を使うべきだ。使えば有利になる、最初はそのくらいの感覚だった。しかし強敵相手には初手で使い、継続するのが必須となっている。その時間を稼ぎ、本来近接に向かない、杖装備の無防備な私を守ってくれるのがアルンだ。

「イリオス、少し熱いが耐えてくれ！」

アルンの言葉で察したイリオスが高度を少し下げて、ヴァラーグの狙いを私たちに向ける。アルンが私の前に立ち、燃える剣で突進を受け止める。アルンは筋力が強い。私では受け止めることもできないだろう。その背中から感じる勇敢さと美しさは、ローランさんやジークからも感じられる。まるで王子様のようだ。

「貴様の力はそんなものかァァ！」

爪を光らせて押し込むヴァラーグ。アルンの足がじりじりと下がる。

「セレスティアルレイン！」

愛と美の事象顕現、ピンクの薔薇を降らせる。これはブレイブの特殊版だ。火力の上がったアルンが足の後退を止め、雷の爪と拮抗する。

追加発生のトゲが眼球を狙ったので、ヴァラーグは当たらないように目を背けた。その結果、力が少し弱まる。

「もらった！」

アルンが剣の炎を強めた。黒の鎧が所々赤く染まる。

「チィッ！」

目を背けた方向に旋回するように退避するヴァラーグ。——逃さない！

アルンがチラリとこちらを見て頷いた。私が行く、ということだろう。思考の詳細は不明だったが、私はすぐに頷き返した。

「バーニングブレイド！」

剣が強く燃える。コンボで準備の短い魔法をアルンに使う。

「コンボ、ブレイブ！」

アルンは私の火力上昇効果を複数得て、かなり強くなっている。その足からも熱を感じると、アルンは空を飛んでいた。

「レクシアは作戦を遂行しろ！　イリオスは後で私を拾ってくれ！」

炎を噴射する勢いで宙に躍り出る。キュクロプスと同じ仕組みだ。よく見ると、飛んでいるというよりは超長距離、超長時間のジャンプといった感じがした。

特に作戦を詳しく伝えたつもりはなかった。でも視線や表情などでわかったのだろう。確かにこれは、私が攻撃に回る余裕はない。

「闇を祓って！　シャイニングスピカ！」

掲げた杖から光の玉を天に撃ち込み、希望の星を発生――できない。

いや、見える。雲が別の光に照らされ、薄く色を変える様子が。

作戦というのは、黒の大地の赤い空をしばらく消したあのときのように、スピカの星で雲を消すというものだった。ヴァラーグの攻撃は体から発生するが、そのたびに雲が毎度光っていたのだ。きっと戦闘消耗で失った力を補っているのだと思う。

「お父さん！」

「うむ」

それだけで全てを理解してくれたイリオスは、首を上げて口を天に向けた。

「『セルリアンルーセント！』」

同時に雲にぶつけたが、雲の瘴気は濃く、光を完全に弾いてしまった。相性が悪かったようだ。

――どうしよう。

「ディィアアアァァッッ!?」

ヴァラーグの咆哮。見ると、ヴァラーグにしがみついて攻撃していたアルンが、今にも振り落とされそうになっていた。

「構うなレクシア！　――ちっ、お前！」

「完全なる瘴気の闇に、呑まれろォォッ！」

ヴァラーグがアルンを振り払い、尻尾で天に打ち上げた。

「瘴気だと⁉　クッ――」

アルンの声は入った雲にかき消された。アルンの心配をする暇もなく、ヴァラーグが突進してくる。

「セルリアンブレイブ！」

イリオスの不可視の大爪が空を裂く。

「対策済みだ。ボルテックムーブ！」

雲から雷が降り、ヴァラーグに当たる。するとヴァラーグの姿は消え、イリオスの攻撃はただ風を起こすのみとなった。

降った雷が真横を向き、ジグザグにこちらに向かってくる。そして雷は大きくなり、ヴァラーグの姿になった。

雷そのものになって、イリオスの特大範囲攻撃を回避する技のようだ。やはり雲を消せないと、勝機はない。

「ライフバースト⁉」

「ぬぅっ⁉」

隙ができたイリオスに見えない衝撃波が当たり、急に高度が下がる。

「お父さんっ！」

「案ずるな！　それより奴が近いぞ！」

イリオスから視線を戻すと、すぐ近くに邪竜の姿が。

「脅威は貴様だ、レクシアァ！」

「と、トワイライトクロス！」

「無駄だァァァ!?」

思わず下がりながら放った、広がる光に邪竜の牙が食い込んだ。光はガラスのように砕け散る。

──しまった。これは事象顕現だ。

ヴァラーグの身体が直接触れようものなら、それは簡単に打ち砕かれる。ボルテックブレイブを消せたのはヴァラーグが竜として未熟だからとか、そんな理由なはずがないのだ。範囲が広い代わりに、打ち砕く力が弱まっているだけだ。

「飛べェ！」

「ぐうっ！」

ヴァラーグが、光を喰ったその頭で私の腹を突き上げた。

私は空に飛ばされた。足が浮いて自由になる。

「ディィアッ！」

「がぁっっ！」

背中に衝撃、そして体がさらに打ち上がる。瘴気の雲が見えてくる。まずい。

痛みで止まる体と脳を強引に動かし、首を動かす。

次はどこ、右、左――いた。杖を向けて魔法を――消えた⁉

「一瞬で旋回したの――⁉　きゃあっ！」

左足後ろ側に衝撃。体が回転し、地上がどの向きかわからなくなる。そうか、雷そのものになれば、あんな速度も出せるんだ。

ふわっと体が宙で止まり、回転の勢いが収まり、ヴァラーグが見えた。今度こそ仕留める。

「サンダーボルト！」

「くーっ！」

しかし雲から雷が降る。咄嗟に初級風魔法で移動したが、雷はジグザグと私を追尾して貫いた。

「ぁっ……」

思考が一瞬途切れる。向かってくる脅威に対処できない。

ヴァラーグの前足に上半身を摑まれた。目を覚ました私。蹴りで対抗しようと足を上げると、さらに後ろ足で下半身を摑まれた。

背が、腹が、胸が痛い。しかしその前足は私の手を摑んでいなかった。杖を邪竜の顔に向ける。

「セル、リア――ッ」

「遅い。終わりだ」

ヴァラーグの全ての爪が光る。電流を受けて意識が遠のく中、雲が赤く染まり、穴が開くのが見え――

「――ろ。おーい、起きろレクシア。そして瘴気を消してくれ。さっきからピリピリと痛い」

「……ぇ？」

目の前にあったのはアルンの顔だった。その後ろに竜鱗剣、つまり背中に背負っている。じゃあ手は……ときょろきょろ見回すと、私の背中と、足の後ろにアルンの手があった。私は、抱き上げられてるんだ。

浮遊感が消え、アルンの手がある位置に衝撃。動く風景が止まった。着地だ。

空を飛びながら私たちの地面になっていた、イリオスが首を動かして私を見た。その口には私の杖がくわえられている。私の胸の上で待機していた自分の手は、何も持っていなかった。

「えっ、えっ？」

困惑しながらアルンを見る。というかこの体勢だと無理に首を動かさないと、視界にはアルンの顔しか見えない。その傷ついても綺麗な顔が微笑んだ。ちょっと、ドキドキしてしまう。

「良かった、起きた。一瞬だが、気を失っていたようだな。まあとにかく瘴気を消してくれ。イリオスの飛行の安定性に関わるし、私もこれ以上呼吸したくない」

アルンが私を下ろして、イリオスから受け取った杖を渡してきた。

真上を見ると、高い場所にいるヴァラーグがその場で暴れていた。恐らくアルンの力だろう。炎が燃えている。しかしその炎も、もうすぐ消えそうだ。またいつ突進してくるかわからない。

立ち上がると少しふらついた。アルンが肩を持って支えてくれた。お礼を言ってもう一度バランスを取り、杖をしっかり握る。

「ディア・パステル！」

この回復術は便利だ。アルンとイリオス、心の通じ合う仲なら意思の伝達もできた。失った時間の記憶を取り戻す。

アルンは瘴気の雲に入ったが、キュクロ――イプシロン・アーマーは雲の影響を軽減したようだ。そして雲の上に生成した私の光のおかげで、そのまま動けたので雲を上から突き破ってヴァラーグを攻撃し、私を救出した。イリオスはその様子を見て、私の落とした杖を回収しながらアルンの落下位置に移動した、というところだ。本当に一瞬しか気を失っていない。

「上からなら雲は簡単に破れた。下から攻撃するよりもう一度星を本気で光らせた方がいいかもしれない。さっきの電撃で星は消えてしまったしな」

「確かに下からは厳しいかもしれん。ブレスも撃ったが効く様子がなかった」

イリオスがアルンの作戦に同意した。つまりさっきと同じことをして、力押しだ。そんなことが、できるのだろうか。

「やってみる……！　闇を、貫いて！　シャイニングスピカ！」

光が飛ぶ。結果は……変わらない。いや、むしろ前より弱い。黒の大地のときより光が弱い。

「意思が、足りてない。事象顕現だから、気持ちが大事なんだけど……」

視界の下が光った。見下ろすとゼルエルが飛んでいた。

「なんのために力を使う！　悪を滅ぼすつもりか、それとも何もない我欲か⁉」

さらに下に天軍やジーク。森の中に村人たちが見えた。祈りが聞こえる。聞こえてしまっている。なるほど、そういうことか。

「事象顕現は強く気持ちをこめれば強くなるというのとは少し違う。その技に適した思いがあるかどうかだ」

剣を輝かせるゼルエル。彼女は事象顕現を使える。だからこのアドバイスは、みんなの中で一番的確だろう。

最初で最大級の力を出した、黒の大地の戦いを思い出す。

「みんなを守る……そうだね、その気持ち。さっきはそう思わずに使ってたかも。ただ、雲を消すために使ってた」

杖を天に向け、もう一度。見上げた視界に紫の光。

「させるかァァァッ！」

時間をかけすぎて、ヴァラーグが動き出してしまった。

「止める！　皆、この神を守れ！」

ゼルエルが飛び、側面から神剣を打ち込み、邪竜の降下を妨害した。続いて戦える数人の天使が光の魔法を撃ち上げる。

そう、神……これは神の力だ。神であることを意識しないまま、人間として力を振るおうとしたから力が出ないんだ。村の人々が、私に願う祈りはこの距離でも感じてしまっている。ただの人間ならそんなのわからない。

「……わかった。今は神としてみんなを守るよ。こんなにもたくさんの期待、応えないと、ね」

得ようと必死だった、みんなを守る力は持っていた。けどそれを自分で否定しようとした。こういうときくらい、自分の立場を認めよう。守れる力を得られた自分を好きになろう。

ゼルエルが下がる。治療に力を使って消耗している中で来てくれたんだ。もう限界だろう。

ありがとう。もういけるよ。

「みんなを……守る。ここを、護る。――シャイニングスピカ!?」

雲を貫き、光が差し込む。太陽と星が同時に輝き、今まで見たことのない強い明かりが広がった。瘴気は太陽の光で消えていった。黒の大地にはない、ありがたい力だ。太陽の神にも感謝だ。

「やった……！」

「瘴気が出せない……!?　クソがァァッ！」

ヴァラーグが急降下してくる。ジャンプしたアルンが剣で殴り飛ばす。防御のない雑な降下だった。迎撃は簡単だ。

「叫び以外は冷静な口調をしていた最初とはひどい違いだな、ヴァラーグ。第二ラウンドも負けたが、もう、流石にこれは勝ちだな？」

「第三か。長くなったな。儂の未熟もそうだが、奴の本当の強さには恐れ入ったな」

冷静に口を開くイリオスは、勝利を確信している。冷静さを失った方が負ける、そう思っているのだろう。

ヴァラーグがもう何を言っているかわからない音でブレスを吐いた。私はそれを軽く包んで消した。眩しすぎるほどの天の光は、私の防御範囲や効果も、恐ろしい規模に増大させている。民から見れば、私は今、神にしか見えないだろう。いや、実際に神族だ。私は今、神々の一人として戦おう！

「逆境の中、だからこそ強く、輝いた……！　双方の大地を巡り、数多の人を傷つけ、あらゆるものを奪った悪しき邪竜……お仕置き、開始！」

「ゥ、ヴァァアァァァ!?」

速い。でもこの明るい世界で、その暗い体はよく見える。

「フッ」

イリオスが旋回する。お互い見えないほどの速度で空を飛び回った。

雷ブレス。視界が真っ黒になる。黄昏の光が目に映る視界全てを、再び輝かせる。左手をかざせばその場の邪気は全て消え去る。

イリオスのセルリアンブレイブが空を裂く。雷移動技の使えないヴァラーグに対処法はない。イリオスの今の攻撃は、もうこの地から完全に退かない限り回避できない。大ダメージだ。翼はただの二枚になった。

「切り札ァ！　眷属よ!?」

切れた翼の膜が変形する。その翼は姿を変え、生き物のように動いた。地に落ちていたもう一枚も動き出し、二体のグレイルが生まれた。グレイルは元は召喚された眷属だったのかもしれない。

回避を諦めて攻めの姿勢に入ったヴァラーグ。私は花と羽を召喚した。この天の光の中で効果が高まり、私の周り、イリオスの身体にとどまらず、この戦いの場全てに花が舞い、羽が舞った。

「この光で強くなるのは花だけだと思ったけど、羽も強くなってるね」

「銀嶺が輝いている。我が子の秘めたる力だろう」

イリオスの子竜たちも応援してくれているようだ。これは私たちの総力だ。

宙に制止したトゲが、私の手に合わせて矢のように飛び込み、ヴァラーグの動きを鈍らせる。

その隙を狙うアルン。羽には竜の力を高める力がある。炎が空に燃え広がり、竜の形を成した。

それはまさに、ジークの竜闘気のようだ。いや、アルンは元は竜だ。これはきっとアルンだ。

炎のアルンがヴァラーグにその顎を向け、大きく口を開く。ヴァラーグの狂った声はいつも通りだが、そこから感じる響きは悲鳴のようだ。

拡散する雷が炎竜の口を辛うじて止め、打ち消す。しかしアルンはまだ炎を出しただけだ。剣は、体は力を出し切った邪竜に向けて飛んでいく。炎は何度でも燃え上がる。空は何度でも赤く染まる。

「インフェルノブレイド！」

グレイルが一体消滅した。消し炭も残らない。アルンは空の羽を受け取って浮遊を続けていた。

——そんなことができるんだ。新しい力の使い方だ。

「セルリアンルーセント！」

私の攻撃が予想を超えて大きく広がって放たれ、もう一体のグレイルが消える。瘴気が霧散し、すぐに光に浄化された。良かった。あれはグレイルに似せた、瘴気の集まりだった。

イリオスが高く飛んだ。私の意思が通じていた。私は飛び降りた。上からヴァラーグを追い詰める。逃げ場はない。アルンが炎を広げ、閉鎖空間を作り出している。触れたら痛いじゃ済まない。

炎竜の捕食でも全力でなら防げた。炎を熱いと思っていないようだ。グレイルを盾にしたとはいえ、セルリアンルーセントを回避した。ヴァラーグには比較的魔法が効かないようだ。私の持つ物理技で、この領域の効果を受けるものは、これしかない。

「合わせて！　セルリアンスレイブ⁉」

「コンボ！　インフェルノブレイド⁉」

蒼の刃も大きくなっている。どう足掻いても回避できない。蒼と赤の光を放つ大剣が同時に斬りかかる。

「アル・ボルテックブレイブタイド⁉」

一瞬で全てが消え去りそうな最終奥義だ。しかし力で負ける気はしない。なぜなら――

「両サイドから挟みうち、成功してるよ」

ヴァラーグに向けて宣告する。邪竜は何も言えない様子だった。

「そう、どんな強力な脅威であろうと、戦況であろうと。協力して囲めば必ずひっくり返せるんだ」

私に続いてアルン。宣言通り、一方的に攻撃は命中した。勝った。

力を感じられなくなったヴァラーグが、それでも気力だけで足掻こうとした。イリオスが上からブレスを構える。私は一応、言っておいた。

「加減してね」

「わかっている」

光に押し込まれ、ヴァラーグがついに墜ちた。天軍の中に倒れる。少し震えているが、起き上がることはなかった。

私は自分が浮いているのを確認した。羽がそばにあれば、摑まなくても浮いていられるようだ。羽に摑まるアルンがこちらに近寄ってきた。イリオスも同じ高さまで降りてきた。

手を出すと、アルンも同じように手を、イリオスも前足を上げた。それらを合わせて笑いあう。

感極まって、アルンの体と、イリオスの頭を抱きしめた。

【5】竜神姫の信仰

「何故、殺さないよう加減した？　神ならば罰を最後まで与えよ。奴が奪った命の数は計り知れんぞ」

星や羽が消え、雪の世界に戻った地。そこへ天から降りた私に、ゼルエルが放った最初の言葉。

私は怯まずに返答する。

「私は、イリオスに育てられた神だから。あなたのエリアの神や天使とは、考えが違うの。私は……誰にだって、生きていてほしいの」

「甘い。その甘さがこうして再び戦いを起こした。方針を変えろとは言わないが、その戦いにも責任は伴うぞ」

わかっている。わかっているけど――

「私はとうに慣れてしまったが、普通、目の前の命を自分の手で奪うのは難しいだろう？　殺したいなら自分でそうしたらどうだ。四大天使、つまり神直属の将」

アルンが言葉を挟んだ。私を助けてくれた。

「俺がやろう。誰かがやるより利点は多い」

ジークがふらっと立ち上がった。それを見たゼルエルは得意顔だった。

「ある程度は治せたつもりだが、調子はどうだ？」

「動けるならそれでいい。――心配かけたな」

ジークはアルンを見ていた。驚く私たちの中でも特に表情を変えていたのを見て、倒れていたときの状況を察したのだろうか。

「グゥ、ゥッ……！」

ヴァラーグが起き上がろうと声を出した。しかし足は伸ばせず、倒れた体勢は変わらない。

「待っていろ、楽にしてやる。俺に憑依すれば、今後も戦いができるから安心しろ。俺が、既に憑依しているファフニールと上手くやっていく自信があるかは……わからないが」

イリオスが座って輪に入り、ジークを見た。

「その自信のなさで憑依継承を行うつもりか。最悪お主が死ぬかもしれんぞ」

瞬間、電気が流れる音で会話が中断される。ヴァラーグが倒れながらも懸命に首を上げていた。ジークを見ているようで、どこかその先の遠くを見ている気もする、曖昧な視線だ。

「憑依などせん……貴様の力となってまで生きる気はない！　嗚呼、見える、見えるぞ、竜蹟碑の光が……！　しかしそれに応えることは叶わず……！」

「ひっ……」

瀕死の邪竜の目が虚ろになり、何かを求めるように喘ぎ始めた。私は恐怖で杖を握って数歩下がる。

「弱者に！　敗者に！　存在する価値はない！　あの方は、あの方の遣いはそうおっしゃった！　せめてこの命を贄に、糧に！　今こそ石碑に捧げ、あの方の望みのためのォォォォ!?」

「くそっ、私が今すぐ斬る！」

「もう遅いわ、赤竜の騎士！　楽しかったぞ、イリオス。そして騎士どもォォ!?」

大きな破裂音。雷がヴァラーグを貫いた。視界が一瞬白黒に染まり、思わず目を閉じる。

目を何度か開き、正常な世界の光に慣れる。

咄嗟に飛び込み、ヴァラーグの近くにいたアルンは、隣にいたジークと視線を交わしてから、私の方に振り向いた。その目は哀れみのような、悲しい目だった。嫌だ、聞きたくない。

「どうする？　瘴気を取り除いて焼けば、食い物になるかもしれないぞ」

膝から力がスッと抜け、私は崩れ落ちた。

私が落ち着いたころには、天軍との話が進んでいた。どうやら天軍はここを諦めて退いてくれるようだ。イリオスとゼルエルはもうお互いを理解しているような感じだ。私が来る前に、共にヴァラーグと戦っていたからだろう。

「儂はあと数十年でエルダークラスになる。さすれば同じような脅威が現れても撃退できるだろう」

「流石に天軍も、そうなると戦おうと思わなくなるな」

「エルダーじゃないなら――――！」

話に割り込もうとしてやめた。天軍はそういう組織だ。正義のために戦う姿勢にいちいち物申そうとするとキリがない。

「しかし、争いは続くぞ」

私が言いかけたのに反応したゼルエルがこちらを見た。私に言っているようなので、言葉を返す。

「私たちが遠回しに起こした戦いだから、できる限り支援するよ。勿論、誰も死なない道のための支援を」

「そう責任を感じるなレクシア。戦いを起こしているのは天軍や冥界だろう」

アルンの言うこともわかるが、私が背負わないといけないという使命感が勝っていた。

ゼルエルが構わず話を続ける。

「防衛に限定した話か？　こうして攻める戦いはどうする」

「戦わないで！　あなたたちはなんのために戦うの。黒の軍勢を滅ぼすため!?」

天軍の将は首を振った。

「野蛮なのは黒だ。黒の魔族どもがこちらの地を攻めてきたから戦争が始まった」

「ならやめようよ。今は、天軍も野蛮だよ。私が話した街の人は、そのことを話すとき、苦しそうだったよ……」

話す間不動だったゼルエルは、ようやく体を少し動かした。

「……わかった。黒は常に先行、白は後手に回り、こちらはその分戦力増強などの準備を整えるように検討する。それで満足か？」

「うん、考えてくれるだけで嬉しいよ。ありがとう」

ジークが大勢の天使たちを指揮し、隊列を組んだ。

「ゼルエル、被害状況の確認は済み、俺の用は終わった。帰還しても構わないな？　俺の国は未だ物騒だ。皆が心配になる」

「そうだな。確かにこのまじっとしてもいられない。私も急ぎ、ミカエル様に報告をしなければ」

ゼルエルはそう言って歩きだし、ふと気付いたように振り向いた。

「そういえば、森の集落の民はどうする？　天軍で保護するか？」

イリオスが首を上げ、森全体を見た。

「ここは儂の統治する場だ。勝手に民を奪うでない」

「確かにそうだな。では、さらばだ」

苦笑したゼルエルが再び歩きだした。別れだ。

「ジーク！」

アルンがその集団の一人に向けて叫ぶ。ジークは遠かったが、ちゃんと振り向いてくれた。

「次会ったら、私とまた戦ってくれ！　お前は強い！　私はお前といつまでも、剣を競い合う関係でありたい！」

ジークは微笑んで頷いた。

「ああ、また。お前との戦いは、なんだかんだ、楽しかったからな」

みんなが見えなくなる。森の中に入ったのだから当然だが、その騒々しい足音も聞こえなくなっていった。

――村は、素通りか。

「お父さん。私、天軍はもう大丈夫って、村の人に伝えてくるよ」

私の呼びかけに、イリオスが再び首を下げる。

「レクシアは小さいころに一度行ったきり再び訪れようとしなかったが、大丈夫か？　その当時の感覚が残って、小さな集落ほどの大きさを未だに村と呼んでおる」

小さな集落とは把握しているけど、呼び方はあだ名みたいなものだ。

「ならば、私が同行しようか？」

アルンがそう言ってくれるが、私は首を振った。

「ううん。気持ちは嬉しいけど、私一人で行かせて。アルンと同じように、あそこには、私が乗り越えなきゃいけない壁があるの」

アルンはフッと笑って、剣を担いだ。

「そうか、わかった。それまで私は、昼飯用に邪竜の肉でも焼いておくとするか」

「……邪竜の最後のあれ、なんだったの？　私に、止められたかな……」

アルンは知っている様子だったので、聞いてみた。

「あれも神――神が如き竜への信仰だ。竜族なら皆が知る遺物、竜蹟碑(りゅうせきひ)。それを守る者、造った者を信仰している竜族は多い。まあ他種族にも信仰者はいるだろうがな」

ヴァラーグでさえ信仰するものがあるのだ。この世界に信仰は当たり前に存在するようだ。

「だからアレは、止められなかっただろうな。レクシアが自分を責めることはないぞ」

「うん、そうだね……」

信仰の力に恐怖し、それでも私は森へ一歩を踏み出した。

一部折れたり燃えた跡があったりして悲惨だが、それでも全体の雰囲気はそこまで変わっていなかった森。あれから数年経って、身長もある程度伸びているので、木が全て縮んだように見える。

村――確かに今見れば小さな集落――の目の前で立ち止まって様子を見る。ジークのおかげか、被害はあまりなさそうだ。崩れた家屋などの復旧作業も、頑張ればすぐに終わりそうだ。

「天軍よ！　天軍よ、去れぇぇ！　真の悪魔は貴様らだぁぁ！」

一部、未だ脅威を恐れて木の槍を振りまわす人もいた。復旧作業の邪魔をしている。

やっぱりここは怖い。一歩下がろうとする足、しかしそれを空中で止めて戻した。後ろにアルンがいなくても、私は立つ。久々に一人だが、心は強くなっていた。

あの人たちも怖い思いをしたんだ。早く安心させてあげよう。

「皆さん！　邪竜は私たちが討伐しました！　天軍の統治は拒否できたので、どうか安心してください！」

村に入って叫ぶ。変な人に思われるかな。

「お、おい見ろ。あのときの神様だ！」

「確かイリオスの娘さんだよな⁉　この娘が言うなら間違いないって！　平和だー！」

若者から騒ぎ出した。良かった。とりあえず信用はあるみたいだ。

「ヘェエ……！　賢蒼竜様の遣い……竜神姫……！」

自分でもできることを探して復旧作業をしていた、あの日の婆様が、手を止めて祈りの姿勢になってしまった。周りを見ると他にも何人か作業の手を止めてしまっている。

これでは私が迷惑をかけてるみたいだ。過去のトラウマが重なる、祈りの圧を受けて少し怯むが、後ろには下がりたくない。

「そ、そんなことしなくていいです……！　どうか顔を上げてください」

——だからもっと、前へ。

勇気を出して人の輪の中に入る。ついに全員の視線が向いた。そわそわしそうになるのをこらえて堂々と歩き、作業をしていた人が運んでいた、木の棒を数本拾って抱えた。

「作業、私にも手伝わせてください」

最初こそ遠慮されたし拒否もされた。この地を見守ってくれればいいなんて、むしろ大層なことすら頼まれた。しかし気にせずに作業をしていくと、次第に全体の作業は再開されてきた。

槍を振りまわしていた人は、申し訳ないが攻撃力低下の魔法で槍を振りにくくした。その後、友人と思しき人が肩を揺すって言葉をかけていたので、次第に落ち着いてくれるだろう。

仕事を終えたので、男の若者たち――まあ私よりはるかに年上だが――の輪に入っていく。以前は怖くて、私が近づくこともできなかった人たちだ。

「手伝います。作業の手順を教えてください」

「い、いや流石に女神様にこのような、土に汚れる仕事をさせるわけには――」

「レクシアといいます。今はただの手伝いです。どうか気楽に接してください。お願いします

……」

ほぼ全ての人から同じようなことを言われるので参ってしまう。名乗るだけで感謝する人だっていたのだ。天軍の統治から逃げてきたというこの少人数の集落は、どれほど苦しい思いをして、こんな大地の隅っこの神に祈っているのだろうか。想像はできない。

「なるほど……これなら魔法で効率化できるかも。それっ」

「おお……ありがたい！　しかし正直に言うと、神様って効率化どころか、一瞬で全て元に戻しちゃえる存在だと思ってました」

「司る事象によりますけど、私の場合はこの程度ですよ。ちなみに今の人間の技術も、修練を重ねれば高位の天使と同じくらいあります。私よりきっと強いはず」

イリオスの羽の力を使えば、もう少し大規模な魔法も使える。だけど今は頼らずにいきたかった。

作業も終盤、村が元の姿を取り戻してきた。常に距離を取られたり、謙遜する言動が目立ったけど――老人たち以外は、みんなある程度話をしてくれるようになった。

「レクシア様、ありがとうございました。おかげで一日かかると思われた作業がもう終わり、本来早く戻って手伝いに入る、外の調査担当の到着が遅く感じられるようです」

ちょうど来ましたと言って若者が村の外――森の中を見た。私より年下だろう、身長の低い少年少女たちだった。

みんな質素な服を着ているので特に目立つ、銀鎧の男の子がこちらを見て、短めの赤い片手剣を手から離して落とした。他の子たちが落ちた剣の金属音で驚いて跳ねる。

「お姉ちゃ――お姉さん、なのか？」

「え……？」

私は困惑した。男の子は周りに注意され、剣を拾って鞘に納めてから、こちらに駆け出してきた。他の人が常に保っていた距離感がなく、最初から間近で見上げてくる。

「やっぱりそうだ！　なぁお姉さん、オレがわかるか？　つっても五年前だか六年前の話だから見た目は全然違うだろうけど」

竜と触れ合っていたから時間の感覚が鈍っていたが、もうそんなに経つんだ。あの日、知り合った男の子……最初に私を見つけてくれた子。

「あ、思い出した。あの子だね！　大きくなったなぁ」

身長差で頭がちょうどいい位置にあり、子竜感覚で撫でようと手を伸ばしたが、焦るように手で制された。

「こ、子供扱いはしないでくれ。そのヒール脱いでオレが背伸びしたら身長差ほとんど埋まるだろ。この数年でフレンドリーになったな？　……お姉さん」

それ、身長差あるよね？　なんて思って、少し笑った。

「お姉さんは、ちょっと恥ずかしいな……私はレクシア。あなたは？」

「イヴァンだ。オレ、レクシアさんに憧れて、軽装の白色だけど鎧を着たんだ。将来は悪い魔族を狩る仕事をするつもりだぜ」

男の子――イヴァンくんが輝く目で私を見上げた。

これも信仰のひとつかもしれないが、他の村人とはその種類が違った。これは幼少の私がイリオスを見ていたときと同じ、憧れる子供の純粋な心だ。

私はそんな姿に負けない笑顔で見下ろした。膝を曲げて身長を合わせようと思ったが、嫌がりそうなので控えめにした。代わりに少し首を傾ける。長い髪が揺れて、髪の短いイヴァンくんはそれに見とれているようだ。まずこんなに派手な格好をした女の子が村にいないからか、髪に限らずどこでもまじまじと見られる。恥ずかしい。

婆様が歩いてきて、指をイヴァンくんに指した。その姿は今でもほとんど変わっていない。

「こ、これっ、距離が近いぞ！　そして騎士としてだけでなく、神として崇めぬか……！　不敬であるぞ……！」

その発言に賛同して騒ぐ人は、少なかった。今なら、言える。

「あの、婆様。そのことでお願いがあるんです。信仰自体は構いませんが、それを周囲に強制したりしないでください。あと……私は皆を含め、あなたとも、平等に接したい」

「そ、そんなことをおっしゃらないでくださいまし……！　偉大なる守護神、そしてその娘様とは、次元が、世界が違うのでありますぇ……！」

婆様は目を見開いた。あの日の目だ。トラウマが全身を刺激する。あの日から、何を話していいかわからなくなって、人間と話すのが怖くなった。これを乗り越えて、私も次に進もう。

「違いません！　能力の効果で差はありますが、個人の力は人相応……種族に違いなんてないんです……！　私は雲の上の存在ではなく、今ここに、目の前にいます！　だから、あなたたちとも、同じ高さで語り合えるはず……！」

震えそうな、しかしそれを抑えて声を出した。婆様以外も少し困惑が残っている。まだ、あと一歩足りない。

腕を組んで唸っていたイヴァンくんが、目を開けて体を動かした。

「婆さん、みんな、あとレクシアさんも。種族とか力とかそういう問題以前に、レクシアさんはまだ、ここのみんなの身長より低い子供じゃないか」

ハッとした。種族で寿命が違うので、その視点はなかった。腰を曲げた老人と、イヴァンくんや少年少女たちを除けば、それ以外の人はみんな私を見下ろす身長だ。

「もしマジでやばい神様だったとしても、生きてる時間がまだみんなより短いだろ？　そんな子供に、お前ら大人がこのエリア全部の責任押し付けていいのか？　小さな体には重すぎるだろ」

「……あんたも小僧だろうに」

婆様が言うが、イヴァンくんは怯まなかった。

「背伸びすりゃ簡単に縮まるんだよ！　あと、レクシアさんは女の子だ。俺の身体の方が多分硬いぜ」

そう言って力こぶを見せてきた。

作業を一緒に行ったみんなは、最後の抵抗も消えてわいわいと賛同してくれた。

「けっ、不敬な……わかったよ。あくまでイリオス様ではなく、レクシア様の話だしねぇ……言わんとすることも、わからなくもないしのう？」

「婆さんはしばらくかかりそうだな……」

そう言うイヴァンくんだが、これは大成功と言っていい。

「ありがとう、イヴァンくん。とってもカッコよかった」

「お、おぉぅ……でもレクシアさんに比べりゃまだまだ。オレはもっと修行して、悪い奴を倒すカッコいい戦士になる！」

「うん。いつかそのときが来たら、一緒に戦ってみたいな」

「あー言ったな！　約束だぞ！　その日が来たら言いたいことが……いや、なんでもない」

なあにそれと笑った。そして私は婆様を見て、手を差し出す。

「イリオスも、ここの生活を見て勉強になったと言っていましたよ。これからも私たちと一緒に、この地をよろしくお願いします」

「お、畏れ多いィ――」

私はにっこり笑って、待ち続けた。時間をかけて落ち着いてもらい、反射的な回答ではなく、考えた末の結論を出してもらう。

「――ぇ、ええ。……こちらこそ」

穏やかな表情になった婆様と握手を交わした。私の記憶に張り付いた怖い顔は、次第に剝がれ落ちていった。

【6】二人の軌跡

聖域に戻り、イリオスと私は、子竜たちに安全を伝えるために工房に向かった。

「儂としても想定外の事態が続き、対処ができなかった。お主やアルンがいなければ、今の平穏はなかっただろう。感謝するぞ、レクシア。あの日、山に置かれた赤子は、ここを守る救世主として遣わされたのかもしれんな……」

ふと呟いたイリオス。その内容で気恥ずかしくなりそっぽを向いたが、すぐにイリオスを見上げる。

「えへへ、夢が叶ったみたいで嬉しいな。——赤子の私は、何もないまま置かれてた。杖も、魔法も、きっと事象顕現も……お父さんがくれたものだよ。だから私からも、ありがとう……！」

そして、避難していた子竜たちは不安そうな顔を一切しておらず、むしろ堂々としていた。力を放った余韻か、体が薄い蒼に光っている。

「お主が旅に出てから、急に子供たちが、毎日のように体を鍛えるようになったのだ。その成果が早速出たようだな」

「そうだったんだ。……あなたたちも、最後に力をくれてありがとうね」

「キャッキャッ」

「して、娘よ。グレイルはどうなったのだ？」

「黒の大地の村が発展して、そこの人たちと仲良くなったの。だからもう、ここの資源を狙ったりはしないと思うな。挨拶には来そうだけど」

「あやつのことだ、きっと来るだろうな」

「グレイルってなんだかんだ、お父さんのこと好きだよね」

憎めない顔を思い浮かべて笑った。イリオスも笑いそうになっていたのをこらえていたが、私にはお見通しだった。

そして昼。子竜、一角竜たちとも一緒に食事をした。

一足先に聖域にいたアルンが、剣の上にヴァラーグの肉を置いて火を発生させ、焼いている。アルンの鎧はいつもの赤に戻っていた。変身の瞬間が見られなかったのは少し残念。

——そういえば、アルンはどうやって竜人の姿になったんだろう。

また聞きたいことが増えた。楽しみは増え続ける。

ヴァラーグの鱗の見た目は凶悪だったが、それをアルンが器用に——しかし硬いので破壊するような勢いで——剝がした今は、ただのおいしそうな匂いを漂わせる肉にしか見えない。

「コイツも私たちの血肉となる。憑依しないと奴は言ったが、憑依されるのはお断りだな」

「憑依とは少し違うけど……ヴァラーグの分まで私たちが生きる、ってことだね」

「キャンキャン」

子竜たちが私とアルンの間に割り込むように集まって、ぴょんぴょん跳ねた。体重があるので、地が揺れそうだ。

「喜んでもらえたのは嬉しいが、焦るな。せめてもう少し、火が通るのを待つんだ。後でイリオスが野菜も用意してくれる。一緒に食べると、これがまた美味いんだぞ！　調味料は流石に用意できないけどな」

「キェエーー！」

「一角竜、お前も待て。その肉はまだ生焼けだぞ！　……まあ、別に生でも私たちは食えるんだがな」

楽しそうに竜と触れ合う今のアルンを見ると、本当に竜族なんだなぁと思う。しかし肉が上手に焼けて、イリオスと私に配るときに差し出す手から、伝わる優しさは人間のものだ。そんなアルンだから、出会ったばかりの私もすぐ話せたからありがたいが、たまにどんな種族として見ていいかわからないときがある。私と同じ体格の竜族なんて、今考えると理想的すぎる相棒だ。

　人間になろうとして竜人になったのに、竜族であることを忘れないし、むしろ堂々と誇っている。あまりにも、私の軌跡と似ているのだ。だからその心は、私も見習っていこうと思っている。

「どちらかである必要はない……種族の違いに意味はないし、人間と同じ見た目の魔族や、獣人も竜人もいる。しかもまず人間自体が、全種族の複合だし。なら私も、どれであってもいいってことだね」

　竜たちが集まって、アルンと距離が開いてしまった私が呟くと、隣に座っているイリオスが首を下げ、みんなの高さに合わせた。

「レクシアは神族でありながら竜族も人間も名乗るか。流石に三種族複合はなかなか聞かんな」

　私はイリオスの、頭の後ろの首に寄りかかって、その大きな眼を見て話した。

「えー、いいでしょぉ父さん。種族を繋ぐ架け橋としては、けっこう良い人材だと思うんだけど」

「架け橋、か……レクシア。お主は今後、どう生きるつもりなのだ？　ひとまずの目的が達せられた今、それを再び考えることができる」

　私は竜の騎士を継続している。聖域に何かあれば、全力で守るつもりもある。しかしあえてこの質問をしたイリオスは、私の言いたいことを、とっくにわかっているのだろう。

「落ち着いたら、また旅に出るつもり。今思えば短い期間だったかもだけど、ぐるっと世界を巡った。そうしたら、気になること、やりたいこと。あと、会いたい人や、戦わなきゃいけない相手。色々、見つけたから」

「そのひとつが、種族の架け橋か」

「うん。もう十分平等なように見えるけど、神族だけ統治を任される存在になってる。きっとみんな慣れちゃっただろうけど、私はもっと世界を自由にしたいな」

空を見上げる。そよ風が吹く。

降り続いていた雪は止んできた。でもまだもう少し冬は続きそうで、空気は冷たい。けれど肉焼きの熱気で熱くなった体には涼しく、気持ちよかった。

苦しいこともあったけど、私はこの世界が好きだった。もっと触れたい、関わりたいと思った。

アルンが肉を両手に持って、私たちに渡してきた。

「ほら、追加だ」

「ありがとう。はい、お父さんも」

「うむ、すまんな」

寄りかかる体を起こして、肉を両方受け取った私が、片方をイリオスの口に運んだ。

アルンが真剣な表情で、肉を食べるイリオスを見た。

「イリオス。私は再び人間として街へ行き、剣の研鑽を重ねながら、人間と交流を深めるとともに、竜の暮らしを豊かにする施策を提案していこうと思っている。ここは平和だが、苦しみながら僻地で過ごす竜もいるだろうからな」

イリオスは肉を食べるのを中断し、話を真剣に聞いていた。

「あと、最近思ったが、竜人への配慮が少ない。衣服は買ったら尻尾の場所にちょうどいいサイズの穴を空ける作業が必要になったり、ベッドは仰向けで寝るのが難しい。そのあたりの対策も、天軍などに提案していくつもりだ」

「実に偉大なことだ。アルンならば務まるだろう」

「そしてその旅に、お前の娘、レクシアにも同行してほしいんだ。私にはない思考や発想、能力が、彼女にはある。私には彼女が必要だ。——許可してくれるか?」

私はこの話を、既に聞いている。私の意思も、アルンに伝えている。だが、イリオスにはちゃんと話しておきたかったのだ。

「ああ、良いだろう。だがアルンよ、その許可はレクシアさえ了承すれば、もう良いのだぞ。儂はレクシアが騎士として旅に出てから、このような未来があると予感していたのだ」

私は目を輝かせた。

「やった。私は大丈夫だよ! アルン、お父さん!」

「そうか。ありがとう、イリオス。そしてレクシアも」

アルンと一緒に私も笑った。そのときのイリオスの表情は、私じゃなくてもわかったかもしれないくらいに、笑顔だった。

聖域の出口、アルンと私は一角竜にまたがり、出発の準備を終えていた。イリオスが見送りに来ている。

「早朝からあのような激戦をしたというのに、二人とも、元気なことだな」

「イリオス、竜族は年齢を重ねて成長するだろう。年寄りみたいなことを言うんじゃない」

アルンがイリオスに笑ってみせるが、イリオスはおもむろに空を見上げた。

「成長はする、力も強くなる。しかし、歳（とし）をとったという感覚はあるものなのだ……」

「そうなのか……なら、私は今のうちに年齢に頼らず強くなってやろう——はっ！」

「イェーーァ！」

アルンの一角竜が歩き始めた。私は落ち着いたまま、イリオスを見上げた。

「定期的に、顔を見せに来るね。あと、何かあったら杖に異能とか使って、私を呼んでね。すぐ駆けつけるから」

「案ずるな。むしろお主に何かあれば、どうにかして儂も助けに行こう」

「私だって大丈夫。もし何かあっても、アルンはいつだって頼りになるから。——じゃあ、お父さん、行ってきます」

察したように一角竜が歩きだした。手は振り続けたが、聖域を抜けたらしっかり体を戻し、アルンを見た。

「よし、行こっ！」

「イェアーーー！」

一角竜が元気よく走り出す。アルンに追いつくと、アルンの竜も走り出した。

本人の意思はともかく、銀嶺で戦い続けた一角竜は、雪が少し残る岩山でも軽々と飛び越えられるようになっていた。

森の中を疾走する一角竜。しやなかにステップして木を回避する竜に乗っていると、木が元々当たらないように立っているかのようだ。

森の村が近づき、鎧の色が目立つ私たちに手を振る村人たちが見える。こちらも手を振って駆け抜けた。

「レクシア。さっきの銀鎧の少年、お前のこと好きだぞ」

「うん、そうみたい。騎士の私に憧れて、鎧着たって言ってたよ！」

「い、いや、そういうことじゃなくてな……まぁ、いいか」

森を抜けると平地だ。走行速度がさらに上がる。これだけ成長してしまったのだ、クロリスさんに返したら、きっと驚くだろう。

「そうだレクシア。街に行って様々な活動をするが、その前に、一度コロシアムに寄らないか？」

「え？　良いけど、どうして？」

「約束を今、果たしたくなった」

「確かに言ったけど、言ったけどー！」

「はっは！　忘れていなかっただけ嬉しいぞ！」

一角竜を止めて降りたアルンが、剣を肩に担いで笑った。

約束というのは、初めて会ったアルンが私に言った、「強くなったらまた戦ってくれ」という内容のものだった。基準がわかりにくい曖昧な再戦条件だったが、アルンに強くなっていないのかと聞かれ、私は否定したくなくて、結局納得してしまった。

狭間の大階段の柵にも見た、茶色の石造り。古くからあるのだろう。見た目はとても古そうだが、それでいて常に光を浴びて輝いている円形闘技場、コロシアム。私たちはそこに続く長い長い大階段を登りながら、活気と輝きに圧倒されていた。

一体誰が作ったのか、高く大きすぎて、柵のようになっている階段の手すりの模様の隙間から、階段の外を覗く。緑の自然だ。残った雪が少しかかっていて、季節を感じる。

「私はレクシアに再確認してほしいんだ、戦いの楽しさを。私は全ての戦いを楽しんでいるが、レクシアはどうだ？」

「アルン、あとガルムとの戦いはなんだかんだ楽しかったかも。あとは逆転の瞬間」

「そうだ、レクシアは楽しく戦えた時が少ない。逆転は楽しいが、そこに至るまでの負けている時間も楽しんだ方が良い。まあ状況が状況だったから仕方ないが。――だからこそ、最初に楽しさを感じた私ともう一度本気で戦い、楽しさを知ってほしい！　旅してわかっただろうが、オセロニアは戦いの世界だ。楽しむ気持ちがなくなったら、見える世界は地獄だぞ」

なるほど、納得した。確かにその過程は私も踏んだ方がいいかもしれない。あのとき一瞬感じた、戦いの高揚感。それをもう一度、味わえるなら――

「よし、やろう。アルン！」

「ああ！」

拳を突き合わせ、残る距離を一気に駆け抜けた。

冥界ほどに大きな門が開き、私たちを戦いの世界へ誘う。

「コロシアムについては興味があったから調べていた。最近は集団での戦闘が多いが、個人での対戦も少なくはないらしいぞ。白の大地では戦争以外で本気で戦う場合、物を壊す危険性を考慮するのが面倒だったり、国の規制もあるらしいので、わざわざここを訪れる戦友も多いんだそうだ」

「まさに今の私たちだね」

「そういうことだ。あと、それを見る観客も楽しめるという点でも良い文化だ。さあ、入場口が二つ、これは相手チームと分かれるためだ」

コロシアムに入ると早速、観客席に行くための階段と、黒の入場口、白の入場口があった。扉の色がわかりやすく伝えていたが、その隙間を覗く限り、内部の構造は一緒らしい。

「悩む……どうする？　アルン」

「良い色分けだ。ここは出身地で行こうか。私が黒へ行く。お互い頑張ろう」

アルンがさっさと行ってしまった。とても浮き浮きしている様子だった。その証拠にその後ろ姿から、尻尾が元気に揺れ動いているのがよく見えた。

観客席に向かう様々な種族の波をかき分け、私は白の扉を開いた。

「急に静か……」

最低限の間隔で壁に明かりがあったが、他に何もない石の廊下が続いた。鎧の足で歩くたびに、コツンコツンと音が響く。

前方に見えてきた光。扉は閉まっていたが、やはり何故か設備は古く、太陽の光が漏れている。もしここを管理しているのが天軍だとしたら、あの天使たちは大昔の雰囲気を残したいのだろうか。

目の前で止まって深呼吸。意を決し、扉を押す。案外重たくて、少しだけ開いた。

「！！！！！」

「〜〜〜！！！」

大量の歓声が流れ込み、押し寄せてきた。何も聞き取れない。

「大丈夫、もう怖くない」

勢いよく扉を開放し、歓声を受けながら歩き、正方形の台に乗った。台の周りは円形で、高い所に観客が全方位を囲っている。

視界正面、赤き竜鱗の騎士——アルンが台に立っていた。その奥には開いた黒い扉が見える。

「ごめん、待ったかな」

歓声が大きくて声が小さくなってしまうが、アルンはちゃんと聞き取った。

「いや、今この対戦盤に来たところだ。とっくに盛り上がっていて驚いたぞ。いつでも挑戦者を待つ観客の姿勢、よほどこの世界は戦いが好きなんだろうな」

「ならその期待、応えてあげないとね」

私は竜の羽を左手に構えた。

「ああ。……そうだレクシア。お前は戦いの前の挨拶はわかるか？」

「うん、私の記憶が正しいなら、聞いたことがあるよ」

アルンが私とまた戦おうと約束し、握手した、二人の冒険が始まった瞬間。そのとき言ったあの挨拶は不思議で、今後の戦い、未来に期待させてくれる響きがあった。きっとアレがそうなんだろう。

「燃えろ、我が竜鱗よ！」

アルンが剣を構え、燃やした。対戦盤の黒陣営側の空気が熱で赤く染まる。観客がさらに盛り上がる。

「力を借りるよ――いや、私が一人で頑張るから。見守っていてね、お父さん！」

私も右手で杖をそっと握った。白陣営側の大気に羽が舞い、蒼い世界が広がる。

白と黒の世界で、蒼と赤が対峙する。

対戦開始だ。

轟音の風で私の聴覚をぶっ飛ばしながら迫る竜。その炎は私の肌を、心を熱くさせる。

相手の笑みが見えた。私も自然と、同じ顔で高揚していることに気付く。

私が杖を突きだしたときには、お互いの魂は繋がっていた。

さあ、始めよう――！

「「ヨロシク‼」」

高嶺バシク（たかみね・ばしく）

長野県出身。本作で、小説投稿サイト「セルバンテス」で行われた「逆転オセロニア小説賞」で大賞を受賞しデビュー。

レジェンドノベルス
LEGEND NOVELS

逆転オセロニア
蒼竜騎士と赤竜騎士の軌跡

2020年10月5日　第1刷発行

［著者］　高嶺バシク
［装画］　lack
［原作・監修］　『逆転オセロニア』運営チーム
［装幀］　AFTERGLOW

［発行者］　渡瀬昌彦
［発行所］　株式会社講談社
〒112-8001 東京都文京区音羽2-12-21
電話　［出版］03-5395-3433
［販売］03-5395-5817
［業務］03-5395-3615

［本文データ制作］　講談社デジタル製作
［印刷所］　凸版印刷株式会社
［製本所］　株式会社若林製本工場

N.D.C.913 286p 20cm ISBN 978-4-06-521453-4

レジェンド
ノベルス
LEGEND
NOVELS